Les îles de Mingan
des siècles à raconter

D1089310

Line Couillard,
Pierre Grondin
et collaborateurs

Les Îles de Mingan
des siècles à raconter

Québec

Collaboration spéciale du ministère des Affaires culturelles.

Publication éditée à la
Direction générale des publications gouvernementales
du ministère des Communications.

Préface

Le Québec recèle de très beaux paysages. La richesse de sa faune, de sa flore et de ses habitats contribue à façonner un patrimoine naturel aux multiples facettes. Cependant, certains secteurs se révèlent plus merveilleux que d'autres: c'est le cas de l'archipel de Mingan. Dans le but de mieux évaluer la qualité de ce coin de pays, plusieurs études portant sur les domaines les plus variés ont été réalisées au cours des dernières années, en grande partie sous les auspices du gouvernement du Québec. Celles-ci, en plus d'apporter une contribution de base essentielle à l'élaboration d'un plan d'aménagement adéquat, font ressortir sans conteste la valeur exceptionnelle des diverses composantes biophysiques des îles de Mingan.

Le ministère de l'Environnement du Québec reconnaissant le caractère unique de ces îles fragiles et de plus en plus fréquentées a donc décidé de faire publier un livre faisant état de l'ensemble des données acquises sur la Minganie. Il souhaite que ce document inédit, rédigé dans un style accessible à tous, sensibilise les individus à la diversité et l'originalité de ce territoire insulaire. Cet ouvrage va même plus loin. Car à travers la découverte des aspects géologique, biologique et historique de l'archipel de Mingan, le lecteur se familiarise avec les principaux écosystèmes du Québec et s'ouvre ainsi à la richesse écologique et sociale de son propre milieu de vie qu'il apprend dès lors à respecter davantage.

Léopold Gaudreau
Directeur des réserves écologiques et des sites naturels

Table des matières

Préface   5

Avant-propos et remerciements   9

Introduction   11

1. Présentation de l'archipel   15
    Ces îles au bout de la route   17
    Des températures estivales contrastées   17
    Une première découverte: le nom des îles   18

2. La formation des îles:
une histoire vieille de 500 millions d'années   19
    Des roches formées dans la mer   21
    Deux formations sédimentaires distinctes   23
    Toute une faune marine tropicale fossilisée   25
    La déformation des strates sédimentaires   28
    Plus de 400 millions d'années d'érosion pour façonner
    une première ébauche de l'archipel   29
    Un relief de cuesta faiblement exprimé   31
    Des traces discrètes du passage des glaciers   31
    Des îles sont ensevelies, d'autres émergent   33
    Un travail de finition accompli par le froid et la mer   36

3. Les habitats terrestres   57
    L'habitat dominant: la forêt   59
    La tourbière, une éclaircie dans la forêt   65
    Pour se désaltérer, plusieurs sources d'eau douce   69
    La lande ou l'illusion de la toundra   71
    Des falaises aux profils multiples   77
    À la limite des marées hautes: le littoral supérieur   79
    Le marais salé, encore sous l'emprise de la mer   83

4. La flore   101

Une flore rendue célèbre par Marie-Victorin   103
Une flore inégalement distribuée   103
Une flore diversifiée   105

5. Le littoral marin   117

Subdivisions du littoral   119
Les algues: une exubérance de formes et de couleurs   119
Tout un monde à découvrir à marée basse   121
La richesse des paysages sous-marins   125

6. La mer   137

Un monde vivant, un monde en mouvement   139
Une productivité saisonnière   139
Des eaux riches même en été   141
Un secteur relativement poissonneux   142
Les phoques: de petits groupes dispersés   144
À la fois célèbres et mal connus: les cétacés   146

7. La faune ailée   163

Entre terre et mer, les oiseaux marins   165
Quelques oiseaux aquatiques   172
Une présence animée sur le littoral   173
Le charme des oiseaux terrestres   174

8. L'occupation humaine d'origine européenne   193

Le temps des reconnaissances (1500-1661)   195
La tenure seigneuriale sous le régime français (1661-1760):
une affaire de famille   199
L'ère des compagnies sous le régime anglais (1760-1850)   200
Les bâtisseurs (1850-1872)   202
Des villages de pêcheurs (1872-1935)   205
L'ère industrielle (1935-1982)   213
La petite histoire des îles de Mingan   217

9. Bibliographie   223

10. Annexes   233

1. Toponymie   233
2. Listes floristiques   239
3. Toponymie et cartographie des habitats terrestres   Intérieur de
   de l'archipel de Mingan   la couverture
4. Le platier sous-marin

Avant-propos et remerciements

Ce livre est né d'une passion pour la Minganie, du rêve un peu fou de la faire partager et du souhait de voir attribuer à ce territoire dans les plus brefs délais un ou plusieurs statuts garantissant son intégrité. Un tel dessein n'était cependant réalisable qu'avec l'aide de plusieurs personnes. En effet, pour rendre compte de la richesse biologique et historique de l'archipel de Mingan, il fallait nécessairement puiser dans le trésor des talents et du savoir de ceux qui, pour des motifs divers, s'intéressaient comme nous depuis quelques années à ces îles fabuleuses. Ce livre représente donc le résultat du travail d'une équipe à laquelle nous sommes fort redevables.

En premier lieu nous tenons à remercier chacun des membres pour avoir accepté de collaborer à ce projet pour le moins aventureux compte tenu des moyens financiers réduits et du manque d'expérience des coordinateurs dans ce domaine. La plupart ont dû faire fi de leurs intérêts personnels, et seul leur engouement pour l'archipel a pu les motiver à nous consacrer autant d'eux-mêmes. Tout au long de la réalisation de ce volume, leur support fut très apprécié surtout aux moments où nous avons douté d'atteindre notre objectif. Mais toujours fidèles à notre cap, en dépit des écueils et remous, nous voici aujourd'hui à bon port, particulièrement fiers de notre équipage. Ainsi, nous ont épaulés dans la section portant sur la formation des îles Jean-Marie Dubois, André Desrochers et Sylvie Boulanger; ceux-ci nous ont fourni des renseignements fort précieux sur la géologie et la géomorphologie de l'archipel sous forme de textes ou de figures. Les données présentées dans les chapitres traitant des habitats terrestres et de la flore découlent d'un inventaire sur le terrain et de longues compilations au cours desquelles Denis Bouchard, Richard Thériault et Madeleine Dumais nous ont assistés. Le chapitre sur le littoral marin a, quant à lui, été écrit sous la vigilance d'André Cardinal (algues) ainsi que sous les conseils amicaux et judicieux de John Himmelman assisté d'Yves Beaulé (invertébrés). Jean Painchaud (océanographie), Serge Pilote (poissons) et Ronald Greendale (phoques) ont collaboré au chapitre de la mer; Richard Sears, pour sa part, a supervisé avec attention la section portant sur les mammifères marins. Enfin, Gilles Chapdelaine et Michel Boulianne ont en grande partie rédigé le chapitre sur la faune ailée, alors que le chapitre sur l'occupation humaine revient à l'initiative de Denis Blondin et Pierre Bernier du ministère des Affaires culturelles. Mgr René Bélanger et Christian Sommeillier nous ont aussi procuré quelques renseignements historiques pertinents. Nous sommes reconnaissants envers tous ces collaborateurs et nous tenons à les dégager de toute erreur qui aurait pu se glisser dans leur partie respective.

Nous voulons également exprimer notre gratitude à Marcel Jomphe, originaire de Havre-Saint-Pierre, qui n'a pas compté ses heures lors de la confection de la majorité des dessins artistiques. Nous tenons à signaler la généreuse participation des autorités d'Agriculture Canada qui lui ont permis de réaliser plusieurs planches pendant ses heures régulières de travail. Louise Léger a, elle aussi, dessiné à notre grande satisfaction quelques figures et profils schématiques. Ce livre aurait, par ailleurs, bien peu d'attrait sans les magnifiques photographies que de nombreuses personnes ont bien voulu mettre à notre disposition. Enfin, les mérites de la longue dactylographie du manuscrit reviennent à Louise Morud, Anne Corriveau et Geneviève Forest. Eugénie Lévesque a par la suite assuré consciencieusement la supervision linguistique du manuscrit et Daniel Beaulieu, la gestion du projet d'édition.

Un remerciement cordial s'adresse à trois «cayens»: Roland, Horace et Réal Jomphe, qui nous ont toujours offert leur aide et cela, depuis plusieurs années, autant lors des séjours en Minganie que lors de la rédaction du manuscrit. Nous voulons aussi témoigner notre reconnaissance à M. Léopold Gaudreau qui a assumé avec dynamisme la coordination générale du travail ainsi qu'aux dirigeants du groupe Dryade pour leur compréhension, leur bienveillance et leur générosité. Finalement, cet ouvrage n'aurait pu voir le jour sans la participation financière de la Direction générale des publications gouvernementales du ministère des Communications, et celle de la Direction des réserves écologiques et des sites naturels du ministère de l'Environnement du Québec. À toutes ces personnes et tous ces groupes, nous exprimons notre profonde gratitude pour la confiance qu'ils nous ont témoignée. Si ce livre devait connaître un certain succès, si minime soit-il, nous souhaiterions vivement que tous en bénéficient selon leur juste part de mérite.

Line Couillard et Pierre Grondin

Introduction

Ce livre a double fonction. D'une part il s'adresse à celui qui, attiré par de nouveaux horizons, entreprend de visiter la Côte-Nord et découvre au bout de sa route ce pays merveilleux qu'est la Minganie. Frappé par l'aspect insolite de ses paysages, il pressent l'unicité de ce territoire, mais ne ramène bien souvent avec lui que le souvenir des monolithes d'érosion et d'une mer limpide, survolée par de nombreux oiseaux marins. L'archipel de Mingan recèle cependant beaucoup plus. Lieu de rencontre privilégié entre le calcaire et la mer, il forme un musée de sciences naturelles fantastique, offrant à ciel ouvert une diversité inouïe d'habitats et d'êtres vivants. Chaque île possède un charme particulier et constitue une station unique au sein de ce grand musée. Pour le parcourir, il faut s'accorder plusieurs jours, pour l'apprécier, il faut se préparer.

Car, dans un monde où les médias électroniques nous informent rapidement, nous sommes parfois impatients devant une nature qui ne se livre que par bribes en exigeant une participation active de tous nos sens et de notre esprit. Assourdis par les bruits d'une civilisation tapageuse et les yeux remplis d'images souvent trop colorées, notre sensibilité s'émousse et nous avons peine à nous émerveiller devant nos plus beaux milieux naturels. En outre, nous manquons de temps pour reprendre contact avec ceux-ci et avons manifestement besoin d'être orientés. En ce sens, ce livre veut être un guide; il lance un appel à la découverte. Bien sûr, il n'a pas la prétention de cerner sur papier toute la réalité des îles de Mingan, mais il fournit suffisamment d'informations pour aiguiser notre attention et nous faire participer à la très grande joie de comprendre un paysage. Comme il est très dense, il importe de le consulter progressivement, au gré de nos observations et de nos intérêts. Plus qu'un guide d'identification, il relate la genèse de l'archipel, nous fait découvrir les caractéristiques de ses divers écosystèmes (forêt, tourbière, lande,...) et nous présente les faits saillants de son occupation humaine. Sous ces aspects ce guide déborde largement, comme nous le verrons, les limites géographiques de la Minganie.

Ce livre est destiné d'autre part à ceux qui connaissent par coeur ce territoire, pour y avoir passé une partie de leur enfance, y avoir rêvé, chassé, pêché et s'y être abrités. Ils sont les descendants d'une lignée de femmes et de pêcheurs courageux qui avaient su apprivoiser ce milieu marin et tirer parti, tout en le respectant, de ses moindres ressources. Leur contact intime et quotidien avec les îles les avait instruits des meilleurs havres pour leurs bateaux et des meilleurs sites pour la chasse, la pêche ou la cueillette de petits fruits sauvages. Les algues échouées sur le rivage servaient à engraisser leur jardin, les grandes herbes de certaines îles à nourrir leur bétail et les arbres de la forêt à chauffer leur maison. Avec le développement industriel, plusieurs de ces activités ont été abandonnées, mais non point oubliées. Les gens de la région se souviennent et évoquent avec fierté les exploits des anciens qui ne recevaient, comme le mentionne si bien le poète Roland Jomphe, pour toute formation que celle de «l'Université des Grands Fonds»; une formation solide imprégnée des valeurs profondes acquises au contact de la grande nature.

Avec le temps, d'autres universitaires se sont lancés à la conquête des îles de Mingan. Depuis Marie-Victorin, plusieurs botanistes, géologues et biologistes se sont succédé, sans pour autant expliquer aux gens de la région les résultats de leur recherche. Ce livre fait donc pour eux le point sur les travaux effectués dans l'archipel depuis plus de cent ans. Il leur présente une vision de l'archipel différente de la leur, peut-être un peu moins colorée, mais qui leur permettra, nous l'espérons, de le redécouvrir sous un nouveau jour, de mieux connaître ses origines, de mettre un nom sur les plantes qu'ils admirent depuis si longtemps ou de retracer dans la forme de certains fossiles l'ancêtre de leur buccin. Autant avons-nous appris à leur contact chaleureux, autant nous souhaitons que ce volume apporte des réponses à leurs interrogations et suscite en eux un souci accru de protection. Au long des pages, ils découvriront en effet que l'archipel de Mingan constitue un territoire unique au Québec, mais aussi très fragile, compte tenu de sa faible superficie. Face au développement touristique grandissant, les populations locales doivent être de plus en plus conscientes de la valeur de leur territoire, d'autant plus qu'elles auront désormais une mission essentielle à remplir: celle de sauvegarder l'intégrité de ce riche patrimoine naturel et culturel.

« Il me reste un pays à te dire
Il me reste un pays à nommer (...)
Vaste et beau comme la mer
Avant d'être découvert,
Puis ne tient pas plus de place
Qu'un brin d'herbe sous l'hiver.
Voilà mon jeu et ma chasse. »

Gilles Vigneault,
« Il me reste un pays ».

1.
Présentation de l'archipel

Minuscules dans le golfe du Saint-Laurent, les îles de Mingan côtoient la Moyenne Côte-Nord et s'estompent devant la colossale et majestueuse île d'Anticosti. Composé d'une trentaine d'îles, de plusieurs îlots et récifs, cet archipel s'étire sur une distance de 85 km, ce qui représente plus concrètement un trajet d'environ 3 heures en chaloupe motorisée. Il faut donc compter plusieurs jours pour découvrir d'un bout à l'autre ce territoire insulaire, en dépit de sa superficie très réduite se chiffrant à seulement 97 km^2, soit près de 50% de l'île d'Orléans et seulement 1% de l'île d'Anticosti. Parmi les îles les plus grandes figurent La Grande Île, l'île à la Chasse, l'île du Havre, l'île Quarry, l'île Saint-Charles et l'île Niapiskau.

Au sud:
Anticosti, la Gaspésie
Au nord:
la Côte, la Minganie
À l'est:
Terre-Neuve, l'océan
À l'ouest:
Québec, la Province, le Pays
En haut pas de couverture
Pas de plafond, la nature
L'espace, la hauteur, l'infini

Roland Jomphe,
« l'Université des Grands Fonds ».

Ces îles au bout de la route

Rejointes depuis peu par la route, les îles de Mingan ont désormais perdu leur caractère d'inaccessibilité. Jusqu'ici, elle ne réservaient leurs splendeurs qu'à ceux qui s'y aventuraient en bateau ainsi qu'aux gens de 3 petites agglomérations sises à proximité: Longue-Pointe et Mingan dans la partie ouest, ainsi que Havre-Saint-Pierre situé vis-à-vis le centre de l'archipel. Alors que Longue-Pointe compte aujourd'hui près de 1 000 habitants, une réserve d'environ 300 Amérindiens forme l'essence du village de Mingan. Havre-Saint-Pierre constitue l'agglomération la plus importante avec une population estimée à près de 3 500 résidants. Par l'intermédiaire de son centre écologique, il est possible de prendre un premier contact avec l'archipel en se sensibilisant aux multiples facettes de ses paysages. Enfin, c'est à partir du quai de Havre-Saint-Pierre que des excursions en bateau dans les îles sont organisées quotidiennement.

Le moyen pour se rendre à Havre-Saint-Pierre? L'avion, le bateau, l'autobus ou tout simplement l'automobile. Dans ce dernier cas, l'itinéraire n'est pas très compliqué: il suffit de suivre la Côte-Nord et de se rendre au bout de la route n° 138. Toutefois, c'est un voyage d'envergure puisqu'il faut prévoir plus d'une douzaine d'heures pour couvrir les 700 km séparant Québec de Havre-Saint-Pierre.

Des températures estivales contrastées

La Minganie jouit d'un climat tempéré maritime. Fortement influencé par la mer et par les courants froids du Labrador, ce climat se caractérise par une forte humidité atmosphérique, de fréquents brouillards, un été plus froid ainsi qu'un hiver plus chaud et plus long qu'à l'intérieur du continent.

Les températures estivales sont très variées d'une année à l'autre et au cours de la même saison. Ainsi, certains étés sont ensoleillés alors que d'autres sont pluvieux ou encore brumeux. Au cours d'une même semaine on peut connaître tour à tour un brouillard tenace, des journées pluvieuses et venteuses, puis, soudainement, un soleil chaud et radieux. Le temps est difficile à prévoir. Les pêcheurs de la région, instruits au contact de la grande nature, se fient en partie sur la règle suivante: les vents d'est annoncent le mauvais temps, contrairement à ceux d'ouest qui présagent le beau temps. Mais dans l'ensemble, l'été demeure relativement froid. En effet, la température moyenne de juillet n'excède guère 14,5°C, ce qui est faible comparativement à Québec où cette température atteint 19,2°C. Dans un tel contexte, la culture maraîchère demeure une activité marginale et la baignade n'est réservée qu'aux plus audacieux, puisque les eaux de l'archipel ne parviennent pratiquement pas à se réchauffer. Ce temps frais et variable ne présente

cependant pas d'inconvénient pour les habitués du plein air. Vêtu conforta-
blement, il est bon d'arpenter les îles, même si l'air est humide et frisquet;
cela n'en est que plus vivifiant!

Une première découverte: le nom des îles

Les îles de Mingan possèdent des dimensions et des formes très variées.
En les visitant, on réalise que chacune offre des paysages uniques qui contribuent à enrichir et diversifier l'archipel. Prendre contact avec une île, c'est
un peu comme faire connaissance avec une personne; on lui demande tout
d'abord son nom puis on progresse petit à petit.

Au cours de l'histoire, la plupart des îles ont porté plusieurs toponymes
anglais, amérindiens ou français. Par exemple, l'île nommée « Petite île au
Marteau » a déjà reçu les noms suivants: Walrus Island, Petite île à la Vache
Marine, île du Phare et île de l'Entrée. Aujourd'hui, grâce à une étude récente
de la commission de toponymie du Québec (1981), les noms sont reconnus
officiellement, et s'y familiariser c'est déjà découvrir certaines caractéristiques de l'archipel. Plusieurs d'entre eux rappellent, par exemple, des personnages ou des faits historiques, notamment l'île à Firmin, l'île à Bouchard,
l'île Saint-Charles, l'île Sainte-Geneviève et l'île du Wreck. D'autres se rapportent à la faune ailée locale, comme l'île aux Perroquets, l'île à Calculot
et l'île aux Goélands. Certains décrivent la dimension ou la configuration
des îles, à l'exemple de l'Îlot, de La Grande Île et de la Petite île au Marteau.
Enfin, quelques noms ont trait au paysage végétal et à la localisation géographique tels que l'île Nue de Mingan et l'île à Bouleaux de Terre. Le terme
Mingan est, quant à lui, un mot d'origine basque et signifie flèche ou pointe
de sable. Il s'enracine dans la réalité locale en évoquant la longue pointe
de sable sur laquelle s'élève aujourd'hui le village de Longue-Pointe.

2.
La formation des îles: une histoire vieille de 500 millions d'années

La vie de l'homme est si courte qu'il est très difficile de concevoir l'âge plusieurs fois millénaire des paysages qui nous entourent. L'archipel de Mingan ne fait pas exception à cette règle et afin de mieux saisir l'échelle des temps géologiques, il faut avoir recours à une analogie: celle d'un film témoin des 500 millions d'années de sa formation. Ainsi, pour accorder une seule minute aux 125 ans d'histoire de Havre-Saint-Pierre, un tel film devrait durer approximativement 8 ans et 2 mois. La programmation de ce super-long métrage serait de plus établie comme suit: plus de 8 ans et 1 mois pour présenter les événements strictement reliés à l'ébauche de l'archipel, 10 jours pour suivre le va-et-vient des 4 dernières glaciations et à peine une heure pour faire revivre l'émersion des îles! Et la vie d'un homme dans tout cela? Une durée dérisoire de 35 secondes.

« *La Côte-Nord est fille de feu,*
c'est le rebord granitique
du noyau continental américain,
tandis que la Minganie est fille de l'eau:
les îles qui la composent
sont des fragments,
des miettes d'une terre ancienne
lentement déposée
au fond des mers ordoviciennes. »

Marie-Victorin,
Flore de l'Anticosti – Minganie.

Des roches formées dans la mer

« Aux rochers de tes murs,
Les siècles y sont marqués
Comme sur des armures
Aux souvenirs gravés »
Roland Jomphe, « Île Niapisca ».

C'est par l'observation des reliefs et l'analyse des roches que les géologues parviennent à reconstituer l'histoire géologique d'une région. De même, chaque élément du paysage minganien, chaque section d'île et même chaque rocher est susceptible de révéler au visiteur averti un ou plusieurs épisodes de la formation de l'archipel. La stratification horizontale des falaises renseigne notamment sur l'origine des roches (photo n° 1). Elle indique que ces dernières se sont édifiées dans la mer, grâce à un processus très lent d'accumulation. Certaines de ces roches se composent essentiellement de débris minéraux provenant de l'érosion sub-aérienne du socle précambrien. Véhiculées par des rivières jusqu'à la mer, ces particules minérales de tailles variables se sont déposées sur la plate-forme continentale et ont donné lieu à la formation de plusieurs types de roche par suite de transformations complexes (diagénèse); les grès résultent ainsi de la consolidation du sable déposé dans des eaux peu profondes alors que les shales proviennent de l'induration des argiles sédimentées en eaux calmes. La superposition de ces roches de nature, d'origine et de dureté différentes (faciès) s'observe fréquemment à la base des falaises où elle témoigne des fluctuations passées du niveau de la mer et des différentes conditions de sédimentation.

Les affleurements exhibent également de nombreux fossiles qui, par leur nature, réaffirment l'ascendance marine des roches de l'archipel. Ces fossiles regroupent principalement des algues, des coraux, des bryozoaires, plusieurs types de mollusques et des trilobites. Bon nombre de ces organismes ont contribué à l'élaboration du calcaire, qui domine en Minganie. Comme on le sait, le calcaire est constitué de carbonate de calcium ($CaCo_3$), lequel ne saurait provenir de l'érosion des roches acides du socle précambrien. Ce carbonate vient donc d'autres sources; contenu en solution dans la mer, il peut parfois précipiter par suite de diverses réactions chimiques ou, tout simplement, être issu de l'enveloppe calcaire des innombrables organismes peuplant les fonds marins. Au fil des temps, ces enveloppes se dissolvent complètement, si bien que les fossiles actuels ne sont souvent que les empreintes ou les moules internes de ces êtres vivants (photo n° 2). Plusieurs organismes à corps mou ne pouvant se fossiliser ont laissé des traces de leur passage sous forme de pistes ou de terriers (photo n° 3). Souvent ramifiées, ces traces fossiles rappellent la forme de certaines algues marines (fucales), auxquelles elles ont d'ailleurs été associées pendant longtemps. Les traces fossiles sont

Tableau 1
Calendrier géologique de la formation des îles de Mingan
(selon Dubois (1979), légèrement modifié)

Ère	Période		Début de chaque période (en millions d'années)	Événement
Cénozoïque	Quaternaire		1,8	Glaciations, submersion marine suivie de l'émersion des îles.
	Tertiaire		65	Érosion activée, dissection accrue de la plate-forme et formation des cuestas.
Mésozoïque	Crétacé		136	
	Jurassique		190-195	
	Triassique		225	
Paléozoïque	Permien		280	Érosion lente de la plate-forme.
	Mississipien et Pennsylvanien		345	
	Dévonien		395	
	Silurien		430-440	
	Ordovicien	Supérieur et Moyen	470	Seconde invasion marine et mise en place de la Formation de Mingan. Soulèvement et déformations tectoniques.
		Inférieur	500	Invasion marine et mise en place de la Formation de Romaine. Soulèvement, puis érosion de la plate-forme.

importantes pour les géologues puisqu'elles donnent souvent de meilleurs indices sur les conditions de déposition que ne le font les structures sédimentaires ou les autres fossiles.

Le processus de fossilisation s'étend par ailleurs à d'autres phénomènes. Les rides de courant pétrifiées et bien visibles en quelques endroits de l'archipel (photo n° 4) évoquent l'agitation du courant et le mouvement des vagues sur les fonds marins ou sur le rivage d'anciennes mers. Les petits polygones inscrits à la surface de plusieurs plate-formes (photo n° 5) signalent pour leur part une période d'émersion responsable de la formation de fentes de dessication dans les sédiments. Ces indices permettent de préciser que les calcaires de la Minganie se sont sans doute édifiés dans des eaux peu profondes. Enfin, grâce à toutes ces évidences livrées par les roches, il n'y a plus de doute que l'archipel de Mingan est bel et bien issu de la mer!

Deux formations sédimentaires distinctes

La Formation de Romaine

On estime que le processus d'accumulation de matière minérale et organique a engendré plus de 130 m de roches sédimentaires. Des études stratigraphiques et paléontologiques (étude des fossiles) plus détaillées ont permis aux géologues de reconnaître que ces roches sont tributaires de 2 transgressions marines. La plus ancienne est survenue il y a plus de 470 millions d'années, au cours de l'Ordovicien inférieur (tabl. 1 et fig. 1). Envahissant les rebords du Bouclier canadien, elle a entraîné la mise en place de la Formation de Romaine, série sédimentaire évaluée à plus de 80 m d'épaisseur. Cette série comprend de la dolomie et de minces couches de shales calcareux (moins de 1 m). La dolomie, apparentée au calcaire, diffère de ce dernier par une forte proportion de carbonate de calcium et de magnésium. On croit qu'elle se forme par transformation des sédiments calcareux ($CaCo_3$) sous l'influence d'eaux riches en magnésium. De couleur plutôt beige, la dolomie, plus dure

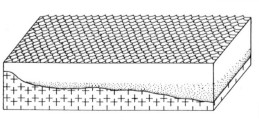

1
Il y a un peu moins de 500 millions d'années, soit à l'Ordovicien inférieur, une première mer envahissait le Bouclier canadien. Les sédiments accumulés au fond de cette mer édifièrent progressivement les roches de la Formation de Romaine.
$\boxed{+\,+}$ Socle précambrien

que le calcaire, présente des textures variées. Elle affleure à quelques endroits le long de la côte (Pointe aux Morts, La Grande Pointe et mont Sainte-Geneviève), sur les îles situées près de la terre ferme ainsi que dans la partie nord des îles du large.

Bien qu'une trentaine d'espèces de fossiles aient été identifiées dans la Formation de Romaine, il est difficile de bien les repérer pour un profane. Soulignons qu'il s'agit surtout de mollusques de la classe des gastéropodes et des céphalopodes. À la périphérie de plusieurs îles, de nombreux stromatolites garnissent cependant le sommet des strates de cette formation (photos nos 6 et 7). Ces stromatolites ne sont pas véritablement des fossiles, mais résultent de l'activité d'algues capables de trapper ou de précipiter des particules de carbonate de calcium entre leurs filaments sous forme de fines couches superposées. On peut retracer leur présence dans les temps géologiques à partir du Précambrien jusqu'à nos jours sans remarquer de modifications majeures dans leur composition. Dans l'archipel, les stromatolites forment de petits hémisphères de 10 à 20 cm de hauteur et de 20 à 40 cm de diamètre. La Pointe à l'Enclume, localisée dans la partie ouest de l'île du Havre, est un site privilégié pour les observer.

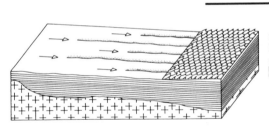

2
Puis le niveau marin s'abaissa nettement. La plate-forme bascula légèrement vers le sud et fut soumise à divers agents d'érosion.
Formation de Romaine

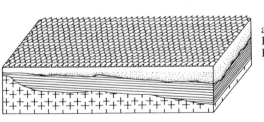

3
À l'Ordovicien moyen, une autre mer recouvrait le continent. Elle entraîna la mise en place de la Formation de Mingan.

Un soulèvement consécutif à de faibles mouvements de l'écorce terrestre aurait mis un terme à cette première transgression marine. La plate-forme bascule légèrement vers le sud, émerge et subit une première période d'érosion; il en résulte le retranchement de plusieurs mètres de sédiments (fig. 2). C'est à cette époque que de petits chenaux de dissolution se creusent au sommet de la Formation de Romaine à la faveur d'un climat chaud tropical (photo n° 8). Témoins éloquents de cette période d'érosion, ils sont particulièrement bien dégagés sur les platiers des îles Quarry, Niapiskau et La Grande Île.

La Formation de Mingan

C'est au cours de l'Ordovicien moyen que se produit la seconde transgression marine (fig. 3). Elle donne lieu à l'édification de la Formation de Mingan, d'une épaisseur excédant 50 m. Cette nouvelle série sédimentaire s'établit en discordance avec les strates légèrement inclinées et érodées de la Formation de Romaine. Cette discordance se détecte fréquemment à la périphérie de certaines îles par un changement lithologique mettant en contact les dolomies de la Formation de Romaine avec l'unité terrigène (grès, shale) de la Formation de Mingan (photo n° 9). Cette seconde formation présente de fait plusieurs types de roche facilement identifiables: au sommet, différents calcaires gris brunâtre et à la base, des shales verts et des grès gris, parfois conglomératiques. Ces calcaires contiennent une grande abondance et une bonne diversité de fossiles (plus de 70 espèces). C'est d'ailleurs dans ces roches que le visiteur aura le plaisir de reconnaître sans difficulté les vestiges de différents types d'organismes marins.

Toute une faune marine tropicale fossilisée

La trouvaille d'un fossile soulève toujours un peu d'émoi. En effet, n'est-il pas incroyable de retrouver dans la roche inerte les reliques d'organismes ayant vécu bien avant l'apparition de l'homme sur la terre? Pour les spécialistes, les fossiles expriment davantage. Ils sont aux strates sédimentaires ce que les mots sont aux pages d'un livre; ils constituent les maillons d'une très longue histoire, celle de l'évolution des diverses formes de vie sur notre planète.

Compte tenu des quelques millions d'années écoulées entre les 2 transgressions marines, les espèces fossilisées dans le calcaire (Formation de Mingan) diffèrent de celles retrouvées dans la dolomie (Formation de Romaine). On note effectivement l'apparition de nombreuses espèces nouvelles ainsi qu'une diversification à l'intérieur des classes déjà existantes. Les mégafossiles sont particulièrement bien conservés et les plus communs sont assez faciles à identifier (fig. 4).

4

Principales catégories de
fossiles de la Minganie.

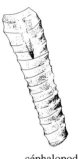

céphalopode

brachiopode

gastéropode

corail

bryozoaire

trilobite

éponge

Cet assortiment de fossiles permet une reconstitution partielle des paysages sous-marins de cette période lointaine. Dès cette époque, les **coraux** sont présents, bien qu'ils se distinguent des espèces modernes par une organisation plus simple et des dimensions plus modestes. Le squelette de ces organismes coloniaux se composait alors d'une série de tubes de forme circulaire ou polygonale. Ces tubes étaient serrés et obstrués par plusieurs cloisons horizontales. Les spécimens fossilisés dans le calcaire des îles apparaissent hémisphériques et ont un diamètre de 10 à 20 cm.

Les **éponges** faisaient également partie du décor. Poreuses, creuses et munies d'une large ouverture au sommet, elles ont été conservées grâce à leur squelette dense et rigide, formé de petits éléments silicieux appelés spicules. Leurs fossiles, comme ceux des coraux, sont dispersés et ne se détectent pas toujours du premier coup. Ils sont globulaires et possèdent un diamètre variant de 5 à 20 cm.

Fixés sur les fonds marins, des **bryozoaires** se développaient en colonies composées de centaines d'individus microscopiques, logés dans de petites cases soudées les unes aux autres par un ciment calcaire. La morphologie des colonies était et est encore très variable, adoptant une forme hémisphérique, lamellaire, digitée ou branchue. C'est la structure calcifiée de ces colonies qui s'est fossilisée, figurant très souvent sur les roches les mailles d'un minuscule filet blanc.

À ces organismes sédentaires se joignait une multitude de petits **brachiopodes**. Ces organismes dépassaient rarement 3 cm de longueur et de largeur, comme le révèle l'empreinte de leur coquille composée de 2 valves. Ces 2 valves jointes à leur extrémité postérieure possèdent une symétrie bilatérale, mais la valve ventrale est généralement plus grande que la valve dorsale. Quoique peu abondants aujourd'hui, ces filtreurs d'eau de mer proliféraient autrefois et sont, pour cette raison, très communs dans les calcaires de l'archipel. On ne peut vraiment pas les manquer!

Les mollusques étaient aussi fort bien représentés à cette époque et regroupaient des gastéropodes (du grec *gaster*: estomac, et *podos*: pied) et des céphalopodes (du grec *kephalê*: tête, et *podos*: pied). Les **gastéropodes**, dont l'étymologie peut signifier «qui marche sur le ventre», s'apparentent aux escargots, alors que les céphalopodes incluent les mollusques constitués d'une tête prolongée par des tentacules, comme les pieuvres et les calmars actuels. C'est par la forme de leur coquille, seule partie pouvant se fossiliser, qu'il est possible de les identifier. Celle des gastéropodes comprend une seule pièce, sans division interne, enroulée en spirale hélicoïdale ou, parfois, en planispirale. Ces fossiles sont relativement abondants et demeurent assez faciles à repérer même si leur taille ne dépasse généralement pas 5 cm de diamètre. La coquille des **céphalopodes** est tout à fait différente. De forme cylindrique, elle est droite, fuselée et ponctuée de multiples septations transversales. Cette enveloppe calcaire, à symétrie bilatérale, était externe à l'animal et lui servait de loge. On croit que les céphalopodes étaient les prédateurs les plus accomplis de cette époque grâce à un système de siphons leur permettant un déplacement aisé. Quoique de façon générale leurs fossiles ne mesurent guère plus qu'une quinzaine de centimètres, certains individus pouvaient atteindre, semble-t-il, plus d'un mètre de longueur.

Enfin, parmi tous ces organismes déambulait l'étrange **trilobite** avec sa tête couronnée d'une paire d'antennes devançant son thorax et sa queue segmentés. Son nom, très descriptif, lui vient de sa carapace composée de 3 lobes étirés dans le sens de la longueur. Les fossiles entiers de trilobites sont vraiment fascinants. Malheureusement, ils sont très souvent incomplets, la tête et la queue se conservant mieux que le thorax. Alors que tous les autres groupes d'organismes marins existent encore aujourd'hui, les trilobites se sont éteints il y a environ 200 millions d'années.

Comme la production de sédiments carbonatés se limite de nos jours aux mers peu profondes des régions tropicales et subtropicales, il est fort probable que tous ces organismes se développaient dans un contexte climatique similaire. Les géophysiciens ont d'ailleurs pu prouver, en étudiant le magnétisme fossile des roches, que la Minganie se trouvait près de l'équateur à l'époque ordovicienne. Depuis ce temps les continents, tels des tapis roulants, ont migré pour atteindre très lentement leur position actuelle. Par temps froid, plusieurs regretteront sans doute que l'archipel ne soit encore à ces latitudes beaucoup plus clémentes.

La déformation des strates sédimentaires

Bien qu'environ 70 millions d'années se soient maintenant écoulées depuis l'avènement de la première transgression marine, l'archipel de Mingan n'en est qu'à ses premiers balbutiements. Après le retrait de la seconde mer, la nouvelle formation sédimentaire présente un relief monotone de plate-forme (fig. 5). Au cours de l'ère Paléozoïque cette plate-forme est envahie par d'autres mers, mais aucune strate rocheuse reliée à ces transgressions ne se retrouve aujourd'hui en Minganie. Ces mers ont cependant contribué à édifier une grande partie des formations sédimentaires que l'on retrouve actuellement sur l'île d'Anticosti.

On ne saurait expliquer par les seuls processus de sédimentation ou d'érosion l'ondulation des strates de plusieurs falaises ainsi que les réseaux de fissures découpant de nombreux platiers (photos nos 10 et 26). Ces déformations et fissurations ne sont en effet possibles que si la roche est soumise à de fortes pressions créées par des mouvements profonds de l'écorce terrestre. Au Québec ceux-ci ont produit, par exemple, les plissements des Appalaches, alors que dans la région ils ont entraîné à grande échelle un léger basculement

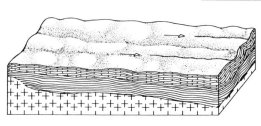

5

Compte tenu de la nature différente et du manque de parallélisme de leurs strates, les Formations de Romaine et de Mingan sont dites discordantes. Par suite des mouvements de l'écorce terrestre, les strates se sont fissurées et légèrement plissées, guidant par la suite le tracé de multiples rivières.

▦Formation de Mingan

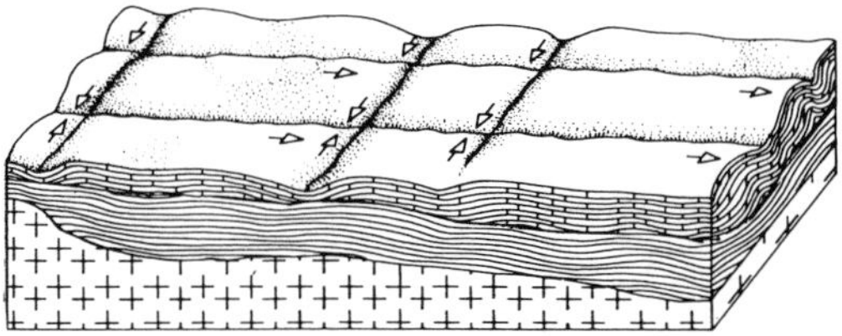

6

À compter de l'Ordovicien, il y eut érosion lente, mais c'est surtout à partir du Jurassique que le réseau hydrographique se développa activement. Alors que plusieurs rivières s'orientaient nord-sud, d'autres exploitaient les lignes de faiblesse est-ouest.

de la plate-forme vers le sud ainsi que la formation de légères ondulations, se manifestant, entre autres, dans le paysage actuel par le profil en dôme de l'Îlot (fig. 5 et photo n° 21). À l'échelle des îles, la déformation plus ou moins accentuée des sédiments a engendré, selon plusieurs directions, l'apparition de gradins flexurés, de petits anticlinaux et synclinaux. Ces faibles plissements caractérisent le relief de plusieurs sections d'îles, comme celui de La Grande Île et de l'île Innu (photos n°s 10, 28 et 29).

À cause des contraintes imposées à la roche, de multiples fissures, diaclases et lignes de faiblesse sont également apparues. Celles-ci ne sont pas désordonnées, mais forment des angles multiples de 30 degrés, comme l'illustrent plusieurs plates-formes superbement carrelées.

Plus de 400 millions d'années d'érosion pour façonner une première ébauche de l'archipel

Toutes ces déformations tectoniques ont guidé depuis l'Ordovicien le développement graduel d'un vaste réseau hydrographique (fig. 6). Cependant, à compter du Jurassique ce réseau connaît une évolution fulgurante par suite du soulèvement accru de la plate-forme continentale. À ce moment, le niveau

7

Les courbes bathymétriques (exprimées en mètres) permettent de reconstituer le réseau hydrographique présidant au cisèlement de l'archipel de Mingan. Les traits pointillés orientés d'est en ouest marquent le tracé des rivières qui ont progressivement dégagé les fronts de cuestas. Les autres traits empruntent les chenaux les plus profonds et correspondent à d'anciennes vallées orientées vers l'Île d'Anticosti.

F1   1er front de cuestas
F2   2e front de cuestas
F2' Embranchement secondaire du 2e front de cuestas

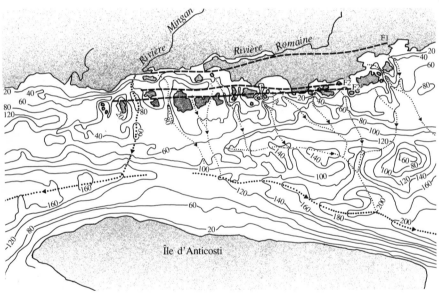

de la mer s'abaisse considérablement. Au Tertiaire, il atteint même – 300 m par rapport au niveau marin actuel, ce qui se traduit par un recul de la ligne de rivage au sud de l'île d'Anticosti.

Pendant des millénaires, de nombreuses rivières vont s'acharner à disséquer la plate-forme (fig. 7). Plusieurs d'entre elles suivent le pendage des strates et s'écoulent vers le sud. À la faveur du réseau de diaclases initial, elles creusent petit à petit des vallées rectilignes, larges et profondes. D'autres rivières, peut-être antérieures à celles-là, adoptent un parcours très différent, déterminé cette fois-ci par l'orientation est-ouest de certaines lignes de faiblesse. Ces cours d'eau exploitent les sédiments plus tendres des formations et dégagent progressivement des escarpements opposés au pendage des strates. Ce quadrillage hydrologique entraîne la formation de plusieurs plateaux nommés cuestas, premières ébauches des futures îles de Mingan.

Un relief de cuesta faiblement exprimé

C'est à son relief particulier que l'on identifie la cuesta (fig. 8). Son profil est celui d'un plateau asymétrique composé d'un front très abrupt et d'un revers faiblement incliné. En Minganie, on identifie 2 alignements de cuestas. Leurs fronts correspondent dans le paysage à une succession d'escarpements subverticaux faisant face au nord, tandis que leurs revers, s'adaptant au pendage des strates, profilent des pentes douces inclinées vers le sud. Le premier front (F1) s'aligne sur la façade nord de l'île du Havre de Mingan, borde la rivière Romaine et se prolonge jusqu'au mont Sainte-Geneviève (fig. 7). Le deuxième front, plus facile à observer pour le visiteur, se subdivise en 2 embranchements (F2 et F2'): le premier passe au nord de La Grande Île, de l'île du Havre et de l'île Saint-Charles, tandis que le second scinde ces mêmes îles. Lorsque l'on circule dans l'archipel, il n'est pas toujours aisé d'identifier ce relief en cuesta (photo n° 11). La faible inclinaison des formations sédimentaires, les plissements ainsi que les conséquences d'une érosion intense confondent souvent le regard le mieux averti. Alors que le profil nord-sud de l'île Niapiskau illustre assez bien ce type de relief, celui trapézoïdal de l'île à Bouleaux de Terre, travaillée différemment par l'érosion, en déroge complètement. Enfin, un troisième front de cuesta délimite la façade nord de l'île d'Anticosti.

À l'emplacement du premier système de cuestas, l'érosion a complètement décapé la Formation de Mingan, de sorte que les îles rattachées à cette cuesta présentent souvent un aspect terne conféré par les teintes de la dolomie. Comme l'illustre la figure 8, le front de cette cuesta établit la limite entre le socle précambrien et la Formation de Romaine. Le second front scinde pour sa part les 2 formations bien que son embranchement secondaire ne s'épanouisse que dans la Formation de Mingan. Finalement, il est intéressant de préciser que les îles de Mingan ne sont qu'une petite partie émergée des cuestas. Vers l'ouest, on peut les suivre sous l'eau jusqu'à proximité de l'archipel des Sept Îles, alors que vers l'est, elles se rendent jusqu'à Terre-Neuve.

Des traces discrètes du passage des glaciers

Les 2 derniers millions d'années de l'histoire de la terre furent marqués par 4 grandes glaciations initiées à la faveur de refroidissements climatiques. Lors de chacune d'elles, de vastes territoires en Amérique du Nord et en Europe furent recouverts d'une épaisse couche de glace. Sur notre continent, la plus récente s'est étendue jusqu'à l'état américain du Wisconsin d'où son nom, glaciation du Wisconsinien.

Chaque glaciation modifie peu les reliefs, mais l'action répétée de plusieurs permet le surcreusement des vallées ainsi que le raclage ou le polissage

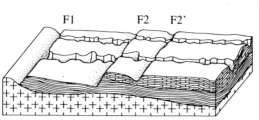

8

Cette érosion différentielle de la plate-forme a engendré la formation de cuestas séparées par des vallées larges et profondes. Le schéma illustre la position des principaux fronts de cuestas de la Minganie:

F1   1er front de cuestas
F2   2e front de cuestas
F2' Embranchement secondaire du 2e front de cuestas

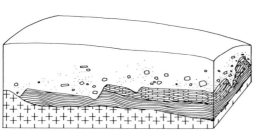

9

Lors de la dernière glaciation, l'archipel fut recouvert d'une épaisse couche de glace.

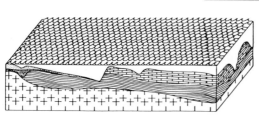

10

Après la fonte du glacier, une partie de la Côte-Nord fut envahie par la mer de Goldthwait. C'est aux abords de cette mer que s'édifièrent les deltas sableux à base limonoargileuse des rivières Romaine et Mingan.

▫ Dépôt sableux
▪ Dépôt argileux

de la surface des roches. Tout en laissant des marques de leur passage, les glaciers ne sont pas, comme on l'imagine trop souvent, des béliers mécaniques; la topographie moutonnée du Bouclier canadien n'est pas, par exemple, une preuve valable de l'action glaciaire puisque ce modelé se retrouve intact en profondeur sous les roches sédimentaires paléozoïques. Sous nos latitudes, les évidences du passage des glaciers sont néanmoins abondantes et relèvent principalement de la glaciation wisconsinienne. Dans l'archipel, certaines sections d'île évoquent cet événement (fig. 9). Sous le poids énorme du glacier en mouvement, des blocs granitiques très durs, enchâssés à la base de la glace, sont parvenus à ciseler des cannelures à la surface des roches sédimentaires. Les plus remarquables se localisent à la Pointe aux Morts, dans la partie sud de l'île du Havre de Mingan et dans le secteur nord-est de l'île à la Chasse, où elles s'allongent selon l'axe nord-sud de la progression du glacier (photo n° 12). On croit que les traces d'érosion glaciaire devaient être plus abondantes dans l'archipel, mais qu'elles ont été effacées par la désagrégation opérée par l'action du gel et du dégel dans les secteurs émergés. La mer protège au contraire les marques glaciaires puisque les seules que l'on puisse observer viennent tout juste d'apparaître sur le littoral actuel.

Les glaciers sont d'autre part des agents de transport efficaces. Ils prennent en charge les résidus de l'érosion, puis abandonnent ici et là plusieurs types de dépôt. Cependant, et contrairement à beaucoup d'endroits où il s'est manifesté, le glacier wisconsinien n'a à peu près pas laissé de dépôts typiquement glaciaires (till) le long de la Côte-Nord et sur l'île d'Anticosti. Ce phénomène s'explique probablement par la position marginale de ces régions en bordure d'un lobe glaciaire qui atteignait à peine la rive sud de l'île d'Anticosti. En Minganie, ces minces dépôts ont en grande partie été balayés par la mer, à l'exception de quelques blocs erratiques trop gros pour avoir été redéplacés.

Des îles sont ensevelies, d'autres émergent

Si la dernière glaciation n'a pas affecté de façon déterminante la configuration de l'archipel, elle a cependant conditionné les épisodes récents de son histoire géologique. Lors du retrait du glacier, commandé par un réchauffement du climat, le continent, affaissé sous la pression de plusieurs milliers de mètres de glace, connaît une phase de relèvement. Ce relèvement n'est pas instantané si bien qu'une partie des côtes est momentanément inondée à cause de l'élévation du niveau marin par les eaux de fusion du glacier en récession. Vers 9 500 ans BP (avant aujourd'hui), la Côte-Nord est ainsi envahie par une mer qui atteint un niveau estimé à 131 m d'altitude. Il s'agit de la mer de Goldthwait, ainsi nommée en l'honneur d'un géologue éminent. L'archipel est à ce moment complètement submergé puisque ses plus hauts points ne culminent qu'à environ 50 m (fig. 10).

Dès que le relèvement isostatique s'accélère, le niveau marin régresse, le soulèvement de la côte excédant désormais la remontée des eaux de la mer. Tout d'abord très rapide (6 m par siècle), il ne se poursuit pas de façon continue, mais procède par bonds ponctués de périodes stationnaires plus ou moins longues. Durant la première phase de ce relèvement, les rivières Romaine et Mingan encombrées de matériaux d'érosion glaciaire se jettent aux abords de la mer. Freinés à son contact, les 2 affluents se déchargent pour édifier de vastes deltas, déposant du sable à proximité de la côte et de

11
Carte d'émersion des terres de
la Minganie (dressée par J.-M.
Dubois).

7 700 ans avant aujourd'hui
Niveau d'émersion 75 m
Delta sableux ⟶

7 200 ans avant aujourd'hui
Niveau d'émersion 45 m

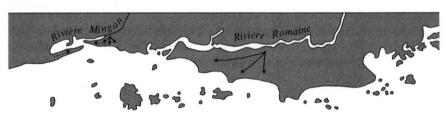

5 200 ans avant aujourd'hui
Niveau d'émersion 15 m
Flèche littorale ....▶

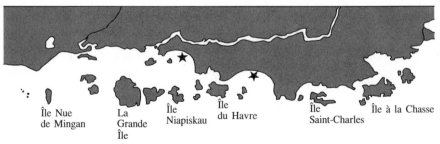

Île Nue   La   Île   Île   Île   Île à la Chasse
de Mingan   Grande   Niapiskau du Havre   Saint-Charles
             Île

Niveau actuel
Plage érodée ★

l'argile plus au large. Mais au fil de la progression du delta, le sable gagne toujours du terrain et peu à peu se superpose de cette façon à l'argile (fig. 10).

La plus grande partie du delta de la Romaine a été édifié pendant la période de déglacement progressif de son bassin, alors que la rivière était bien alimentée en sédiments. Les terrasses supérieures à 45 m d'altitude datent d'ailleurs de cette période, commençant vers 9 500 ans BP pour se terminer 2 200 ans plus tard avec la fin de la déglaciation du bassin (fig. 11). Entre 7 300 ans et 5 200 ans BP, le réseau hydrographique se réorganise. C'est probablement à ce moment que l'embouchure de la rivière Romaine migre de la baie Saint-Laurent vers sa position actuelle. Simultanément, la rivière prélève des sédiments sur les terrasses supérieures et les répand sur la plus grande superficie des affleurements de la première série de cuestas, ensevelissant certainement des îles de la Minganie méconnues pour nous. C'est sur ce dépôt que repose actuellement le village de Havre-Saint-Pierre ceinturé de magnifiques plages de sable héritées de ce processus d'accumulation relativement récent. Certaines baies sableuses ont cependant régressé au cours des derniers millénaires, rongées de quelques mètres par la mer. Toujours en expansion, le delta de la rivière Romaine tend cependant à rattacher aujourd'hui à la terre ferme les îles La Grosse Romaine et La Petite Romaine.

C'est par ailleurs à compter de 7 200 ans BP que les points les plus hauts de l'archipel commencent à surgir de la mer. Les principales dates d'émersion sont les suivantes: 7 200 ans BP pour La Grande Île et pour l'île du Havre (48 m), 6 900 ans BP pour l'île Sainte-Geneviève (36 m), mais à peine 2 000 ans BP pour plusieurs îles et îlots de moins de 6 m d'altitude. Édifiées dans la mer, les îles de Mingan continuent toujours de renaître de la mer, au rythme constamment décéléré d'un relèvement isostatique d'à peine quelques millimètres par siècle (fig. 12).

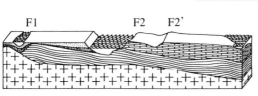

F1   F2   F2'

12

Le continent nord-américain libéré d'un poids énorme de glace se releva progressivement. À compter de 7 200 ans BP, les îles émergèrent au rythme d'un relèvement isostatique de 25 à 70 cm par siècle. Ce relèvement se poursuit encore de nos jours, mais n'est que de l'ordre de quelques millimètres par siècle.

Un travail de finition accompli par le froid et la mer

L'action destructive du froid

Sitôt exposées, les îles sont soumises à divers processus d'érosion qui vont affiner les reliefs ébauchés au cours des périodes géologiques précédentes (falaises, plates-formes, caps). Le processus le plus efficace sous nos latitudes est sans contredit le froid qui fait éclater la roche par suite des pressions exercées dans les fissures par le jeu du gel et du dégel de l'eau (gélifraction). Dans les milieux littoraux, son action est renforcée par celle de la mer qui humidifie la roche et déloge au fur et à mesure le matériel disséqué. Les formes d'érosion dégagées sont multiples et occupent plusieurs paliers sur les îles. Selon l'éclairage, les conditions météorologiques, le niveau des marées et la végétation, leur physionomie se modifie et réserve d'un bout à l'autre de l'archipel des surprises constantes. Leur diversité n'est cependant pas le fruit du hasard, mais provient, comme nous le verrons, de l'exploitation différentielle des caractéristiques structurales des îles: relief en cuesta, dureté inégale des strates sédimentaires, plissements et disposition particulière du réseau de fissures. De façon générale, on s'entend pour classer les formes d'érosion littorale en 2 grandes catégories: la falaise et la plate-forme littorale ou platier.

Les falaises occupent dans l'archipel toutes les directions. Les plus hautes, aux parois quasi rectilignes, sont cependant situées au nord des îles où elles résultent du rajeunissement des anciens fronts de cuestas. Un bel exemple de ce type de falaises fait tout juste face à Havre-Saint-Pierre, sur l'île du Havre.

Selon leur emplacement, les falaises présentent également des aspects variés. Certaines, soustraites depuis des siècles à l'influence de la mer, peuvent être qualifiées de falaises mortes (photo n° 13). Cependant, ce terme ne traduit pas très bien la réalité, puisque plusieurs d'entre elles sont encore sujettes à une dégradation opérée par les agents atmosphériques. La gélifraction exploite ainsi les fissures espacées et les joints de stratification pour déloger des blocs parfois très symétriques (photo n° 14). Ces blocs s'accumulent au bas des falaises pour former un cône ou talus d'éboulis fréquemment couvert de végétation (photo n° 15). Les falaises mortes les plus dégagées exhibent régulièrement les vestiges d'anciens niveaux marins, sous forme d'encoches de sapement, d'arches ou de petites grottes littorales.

Les falaises vives constituent, à l'opposé de celles-là, des falaises directement en contact avec la mer. Très dynamiques, elles répondent de diverses façons à l'érosion. Lorsque le niveau des marées atteint des strates sédimentaires friables comme les shales, on assiste à la création d'encoches de sapement. Ce sapement accélère le recul des falaises, car il engendre un profil en surplomb favorable aux éboulis (photo n° 16). Attaqués par la gélifraction, les surplombs se débitent et s'effondrent sous l'appel de la gravité (photo n° 17). Les matériaux accumulés sont par la suite triturés et remaniés par la mer (photos nᵒˢ 18 et 19). La présence de sédiments tendres à la base de la Formation de Mingan a de cette façon favorisé le recul de plusieurs falaises dans la partie nord des îles ainsi que la mise à nu des roches de la Formation de Romaine.

Contre d'autres falaises, l'érosion s'opère différemment, en exploitant les lignes de faiblesse verticales de la roche (photo nᵒ 20). Selon l'orientation de la houle, les vagues dégagent des falaises festonnées, à l'exemple de celles dominant la partie sud-ouest de la Grosse île au Marteau, ou creusent des grottes littorales et des arches comme celles du pourtour de l'Îlot (photo nᵒ 21). L'effondrement du toit des grottes peut enfin produire un autre type de falaise festonnée, beaucoup plus disséqué celui-là que le premier (photo nᵒ 22).

La dégradation des falaises engendre par ailleurs le développement de platiers. Bon nombre dérivent toutefois de la longue période d'érosion préglaciaire comme le prouve la présence sporadique de cannelures (photo nᵒ 12). Omniprésents dans le paysage, les platiers se répartissent de façon asymétrique à la périphérie des îles. Courts et le plus souvent jonchés d'éboulis au nord, ils sont de largeur variable des côtés est et ouest, alors qu'ils se prolongent loin dans la mer au sud, se confondant alors aux revers des cuestas. À certains endroits ils deviennent quasi inexistants, notamment sur le rebord escarpé de quelques falaises ainsi que dans les baies profondes.

Les platiers les plus simples profilent une surface inclinée, au microrelief varié (photo nᵒ 21). D'autres sont ponctués de paliers plus ou moins longs et abruptement découpés qui mettent à jour différentes strates sédimentaires (photo nᵒ 25). Dans la zone des hautes mers et même un peu au-delà, l'érosion a parfois exagéré le réseau de fissures orthogonal pour développer des damiers tridimensionnels plus ou moins réguliers (photo nᵒ 26). Non seulement étonnantes, ces formes apparaissent au Québec typiquement minganiennes. Dans la même zone du littoral, le froid assisté par la mer a complété l'évidage du centre de petits anticlinaux en dôme, délaissant quelques strates périphériques inclinées, indices trahissant l'ancien relief (photos nᵒˢ 28 et 29).

La surface des platiers est également très riche en formes d'érosion de détail. Elle est sculptée de cuvettes, de dépressions variées ainsi que de marmites creusées par de petits courants tourbillonnaires, armés de simples galets (photo nᵒ 30). Le calcaire a d'autre part la propriété de se dissoudre au contact de l'eau chargée de gaz carbonique et ce, d'autant plus rapidement si les températures sont chaudes. Compte tenu du contexte climatique actuel, ce processus de dissolution sur les platiers reste faible. À certains endroits, il accentue la porosité inhérente à la dolomie et génère des surfaces criblées de cavités rondes d'environ 1 cm de diamètre (photo nᵒ 31). Ailleurs, ce sont de petites alvéoles qui apparaissent, toujours susceptibles de s'agrandir par coalescence (photo nᵒ 32).

Les sculptures littorales les plus spectaculaires de l'archipel sont sans contredit les monolithes, communément appelés « érosions, bonnes femmes ou tourelles ». Étranges, superbes, ils ne cessent d'émerveiller les visiteurs et d'inspirer l'oeuvre des photographes, des peintres ou des poètes. Sont-ils voilés par la brume, qu'ils apparaissent mystérieux, comme issus d'un autre monde. Se détachent-ils contre un ciel clair ou flamboyant, qu'ils incitent l'imagination à y reconnaître des êtres ou des objets familiers. À cet égard, plusieurs d'entre eux portent des noms éloquents: la montagnaise, la forteresse, la porte du sauvage, le petit percé, la grenouille, la botte, les jumeaux et bien d'autres encore.

Ces multiples sculptures dérivent probablement de chronoséquences variées comme le suggère la configuration complexe du pourtour actuel des îles. La falaise vive, la grotte, la falaise festonnée et l'arche sont autant de structures aptes à se succéder lors du découpage des hauts monolithes (photos n°s 20 à 24). Partant de ces différents stades évolutifs, on peut évidemment envisager plusieurs scénarios possibles pour la formation de la même tourelle. Les plus hauts monolithes semblent, plus exactement, provenir du morcellement d'anciens caps. L'attroupement des célèbres bonnes femmes de l'île Niapiskau ainsi que l'alignement des monolithes dans la partie sud-ouest de La Grande Île tendent à confirmer cette hypothèse.

L'évolution des platiers peut, elle aussi, générer l'isolement de monolithes. Moins élevés et plus trapus que les précédents, ceux-ci se regroupent parfois, donnant au visiteur l'impression de circuler dans de petits labyrinthes. Il est probable que plusieurs d'entre eux dérivent du cisèlement profond d'un réseau de fissures orthogonales. Cette interprétation apparaît du moins fort plausible pour certains ensembles jouxtant la mer (photos n°s 26 et 27).

L'action constructive de la mer

Si la mer, par son action de déblayage, joue un rôle important dans le découpage des reliefs, elle redistribue en contrepartie, et ce généreusement, les matériaux mis à sa disposition par l'érosion. Les formes d'accumulation les plus imposantes sont certes les dépôts de plage qui, en raison du relèvement isostatique, sont omniprésents dans l'archipel (photo n° 19). En effet, on les retrouve sous la forêt, sous la végétation des landes ainsi qu'en périphérie des îles, alors que dénudés, ils attirent davantage l'attention du visiteur. Ces dépôts atteignent de 10 cm à plus de 5 m d'épaisseur et masquent de ce fait le relief véritable des formations rocheuses sous-jacentes. Leur volume appréciable (de l'ordre des millions de tonnes) donne un aperçu de la quantité énorme de matériel prélevé sur les îles depuis leur émersion et en conséquence, une image de la puissance de l'érosion sur les littoraux.

Les dépôts de plage actuels ceinturent les îles d'une frange étroite et comblent le fond de plusieurs anses. Ils se composent de gravier et de galets issus de la gélifraction de plus en plus poussée de la roche. Sur la plage, ces particules sont soumises à un déplacement quasi continuel engendré par le déferlement des vagues sur le rivage. Par conséquent, les graviers et les galets présentent des arêtes toujours bien arrondies. Au cours des périodes de grands vents et de tempêtes, les vagues plus énergiques accumulent les graviers grossiers au-dessus du niveau des hautes mers habituelles et construisent des crêtes dénommées cordons de plage (photo n° 33). Fort impressionnantes, celles-ci se concentrent dans la portion sud des îles, laquelle est plus intensivement soumise aux vagues de tempêtes. On doit à leur juxtaposition le relief ondulé si spectaculaire de quelques landes de la Minganie. À l'intérieur de certaines îles, ces cordons de plage se manifestent de façon plus discrète, notamment par la succession de crêtes boisées séparées par de petits étangs ou des tourbières.

La partie superficielle des anciens cordons de plage s'est activement gélifractée avec le temps (photo n° 34). Les graviers en sont effilés et compactés, ce qui confère aux zones dénudées un aspect des plus hostiles. Il faut souligner que cette microgélifraction n'est pas le fait exclusif des cordons de plage, mais se produit un peu partout. Dans la portion supérieure des falaises de l'île Saint-Charles, elle a produit, entre autres, un tapis continu d'altérites (photo n° 35). Délavés par la pluie et les embruns, ces éléments sont corrodés par la dissolution qui tend à les émousser et à les rendre plus rugueux.

À quelques endroits, les cailloutis ont été triés sous l'influence du cycle gel – dégel, figurant de petits polygones ou des stries étroites (photos nos 36 et 37). Alors que les premiers se développent sur des surfaces planes, les sols striés s'associent aux pentes faibles. Très ponctuels dans l'archipel, ces sols striés ornent le tapis d'altérites de l'île Saint-Charles et accompagnent les polygones dans la lande sud-ouest de La Grande Île. Inattendues à ces latitudes, ces formes de triage sont davantage caractéristiques des régions subarctiques. Leur mode de formation demeure aujourd'hui encore mal compris.

Dans certaines conditions, l'accumulation des matériaux peut créer des flèches étroites (environ 5 m) rattachées à la rive par une seule extrémité. Ces jetées naturelles prennent une orientation très variable en rapport avec l'ensemble des mouvements marins affectant leur secteur. De façon générale, elles sont en relation avec des courants de déchirure qui, formés par la rencontre de 2 courants de direction opposée, entraînent une évacuation du matériel vers le large (photo n° 38).

L'accumulation des particules les plus fines charriées par la mer élabore à son tour des formes tout à fait différentes. Ce processus de sédimentation engendre des surfaces uniformes très faiblement inclinées et s'accomplit en eau très calme, à la faveur de baies bien abritées ou d'anses protégées par des flèches. Compte tenu de l'amoncellement de matériel fin, ces endroits réservent parfois de mauvaises surprises à qui s'y aventure trop vite en bateau. Lorsque l'immersion est continuelle, nous sommes en présence de lagunes couramment appelées «lacs salés» par les gens de la région. Si la lagune se colmate davantage, elle évolue vers le marais salé qui ne subit que des inondations périodiques. Ces marais, envahis par une végétation particulière, sont peu nombreux dans l'archipel. Les plus grands se localisent dans la partie est de l'île Niapiskau et de l'île Saint-Charles ainsi que dans la partie nord-est de l'île La Grosse Romaine.

Enfin, par l'intermédiaire des glaces formées sur l'estran, la mer transporte à tous les printemps, d'une façon quelque peu inusitée, du matériel dont la taille varie du limon à celle des blocs. Véhiculé lors de la débâcle des glaces, ce matériel s'échoue avec les radeaux de glace, généralement à la périphérie des îles ou dans le fond des baies. Dans ces milieux abrités, il est fréquent de voir de gros blocs dispersés. Leur taille disproportionnée par rapport à l'ensemble des dépôts indique qu'il s'agit bien là d'éléments transportés par les glaces (photo n° 39). Ces blocs glaciels proviennent des îles et fréquemment de la côte, leur nature granitique trahissant alors leur origine. Les vents dominants du printemps se font les complices de ce dernier phénomène puisque la période de déglacement de la côte en avril et mai correspond à un fort pourcentage de vents soufflant de la terre vers le large. Bousculés par les glaces, certains monolithes d'érosion en position précaire sont alors susceptibles de subir des dommages sérieux (photos nos 40 et 41). Ils sont un peu à l'image de l'archipel; épargnés miraculeusement jusqu'ici par l'érosion, ils restent toujours vulnérables aux pressions répétées du milieu.

Géologie

2 La formation des îles

1

La stratification des falaises rappelle que les roches de l'archipel proviennent de sédiments qui se sont accumulés dans la mer. Chaque strate représente le labeur de milliers d'années (Grosse île au Marteau).

2

Après la mort des organismes marins, leur enveloppe calcaire se remplit de sédiments. Lorsque les sédiments se transforment en roche, ces moules calcaires se dissolvent, mais leur forme se fossilise dans la roche comme celle de ce gastéropode (île Saint-Charles).

3

Traces fossiles d'un organisme marin fouisseur (île Nue de Mingan).

4

Rides de plage fossilisées évoquant les mouvements des vagues ou l'agitation du courant sur les fonds marins (Grosse île au Marteau).

5

C'est un fait bien connu que les sédiments fins se fendillent lorsqu'ils émergent et s'assèchent. Ici, les polygones fossilisés dans la roche témoignent de l'avènement de ce phénomène il y a très longtemps (La Grande Île).

6

Ces petites boules, nommées stromatolites, résultent de l'activité d'algues capables de trapper ou de précipiter des particules de carbonate de calcium (île Sainte-Geneviève).

1

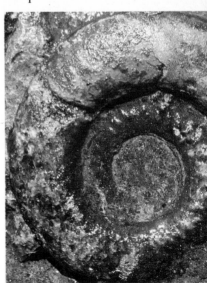

2

7

Les stromatolites présentent en coupe une structure laminée caractéristique.

8

Chenaux de dissolution creusés au sommet de la Formation de Romaine au cours de l'intervalle séparant les 2 mers ordoviciennes. Le climat chaud favorisait alors la dissolution chimique du calcaire (île Quarry).

9

Discordance bien évidente entre la dolomie de la Formation de Romaine (partie inférieure) surmontée par des shales de la Formation de Mingan (île à Bouleaux du Large).

10

À la manière des feuillets d'un livre, les strates sédimentaires se déforment lorsqu'elles sont soumises à de fortes pressions. Au premier plan, la falaise dégagée par l'érosion laisse entrevoir un bel exemple de gradin flexuré (île à Bouleaux de Terre).

11

L'île Sainte-Geneviève présente un profil typique de cuesta; à gauche on identifie une falaise escarpée suivie d'un revers faiblement incliné.

7

8

9

10

11

2 La formation des îles

12
Cannelures glaciaires localisées sur l'île du Havre de Mingan. Elles témoignent de la progression du glacier wisconsinien du nord vers le sud.

13
Autrefois atteinte par les vagues, cette falaise morte s'élève dans la partie est de l'île Nue de Mingan.

14
Les falaises mortes se dégradent constamment. À la faveur des fissures orthogonales, la gélifraction parvient à découper des blocs très symétriques (La Grande Île).

15
Au nord de La Grande Île, une falaise morte activement gélifractée présente des arêtes coupantes. Les blocs qui s'en détachent s'accumulent à la base pour former un talus d'éboulis.

16
Plus friables que le calcaire, les shales présents à la base de cette falaise ont sûrement facilité la formation d'une encoche de sapement (Grosse île au Marteau).

17
Les surplombs dégagés par l'érosion sont précaires. Travaillés par la gélifraction, ils s'effondrent un jour ou l'autre et finissent par encombrer le littoral (île Saint-Charles).

12

13

14

15

16

17

18
Au fil des ans, les blocs d'éboulis se fragmentent de plus en plus (La Grande Île)...

19
... et s'amenuisent à la taille des graviers de plage (île du Fantôme).

20
Occasionnellement, l'érosion exploite les plans de faiblesse verticaux des falaises (île Saint-Charles)...

21
... tandis qu'à d'autres endroits, elle engendre des grottes et des arches. Les plus impressionnantes bordent l'Îlot, une petite île en forme de dôme en raison de la légère ondulation des strates sédimentaires. Celle-ci est précédée par un long platier diversement découpé.

22
Grotte littorale dont le toit s'est partiellement effondré (île de la Fausse Passe).

18

19

20

22

21

2   La formation des îles

23
La porte du sauvage, une arche fragile (île à Calculot des Betchouanes).

24
Le profil de ce monolithe suggère qu'il est peut-être issu d'une arche ou d'une grotte littorale (île Niapiskau).

25
Paliers découpés dans une plate-forme, mettant à nu différentes strates sédimentaires (La Grande Île).

26
Les calcaires de la Minganie sont abondamment fissurés. Les fissures ou diaclases se recoupent le plus souvent à angle droit ou selon des angles multiples de 30°. La disposition de ce réseau de fissures guide le travail de l'érosion sur les platiers (Caye Noire).

27
Le cisèlement approfondi de ce réseau de fissures entraîne la formation de monolithes bas et trapus (île aux Goélands).

28
Petit plissement (anticlinal) en forme de dôme. Le centre du dôme abondamment fracturé représente la zone la plus sensible à l'érosion (île Innu).

23

24

25

26

28

27

2 La formation des îles

29
Dôme évidé par l'érosion (île Sainte-Geneviève).

30
Petites marmites creusées sur un platier de l'île Nue de Mingan.

31
Par sa nature, le calcaire a la propriété de se dissoudre au contact de l'eau chargée de gaz carbonique. Sous le climat froid de la Minganie, ce processus est aujourd'hui peu actif. On lui attribue néanmoins la formation de petites cavités rondes dans la roche (île du Havre de Mingan)...

32
... ou encore d'alvéoles de dissolution (île aux Goélands).

33
Accumulation spectaculaire de cordons de plage au sud de l'île Quarry.

29

30

31

32

33

34
Gélifration des graviers accumulés sous forme de dépôt de plage
et corrosion superficielle par la
pluie (La Grande Île).

35
La gélifraction s'attaque aussi
directement à l'assise rocheuse et
génère parfois un dépôt d'altérites
(île Saint-Charles).

36
Le triage des cailloutis par le
cycle gel – dégel dessine sur les
surfaces planes de petits polygones
à peine perceptibles et dont les
côtés mesurent de 5 à 15 cm (La
Grande Île).

37
Sur les pentes faibles, le triage
donne lieu à la formation de sols
striés. Les cailloutis les plus gros se
rassemblent en bandes étroites
(d'une largeur de 10 cm) séparées
par des éléments plus fins (La
Grande Île).

38
Flèche littorale isolant une
lagune (île Niapiskau).

39
Par leur taille imposante et leur
nature granitique, les blocs glaciels
trahissent leur origine. Pris en
charge par les glaces formées sur la
côte, ils sont poussés sur les îles
par les vents dominants du printemps (La Grande Île).

34

35

36

37

38

39

2   La formation des îles

40
Monolithe d'érosion photographié en juillet 1979 sur l'Îlot.

41
L'été suivant, ce monolithe fort exposé était amputé d'un de ses bras.

40

41

3.
Les habitats terrestres

Vues de la côte, les îles de Mingan n'ont rien de spectaculaire; ce sont de petites îles basses, sombres, couvertes de forêt résineuse. À les voir ainsi le nouveau venu les jugera probablement banales, ne soupçonnant guère la diversité d'habitats qu'on y retrouve. Cependant, dès la première visite il sera conquis. Pénétré par l'odeur iodée de l'air salin, envoûté par le vent ou le murmure des vagues, il découvrira à la périphérie des îles des falaises superbes et changeantes ainsi que des plages caillouteuses, d'un gris étincelant, en harmonie avec le bleu du ciel et de la mer. Il réalisera que la Minganie c'est également la clameur des oiseaux marins, la verdure des marais salés et le dépaysement ressenti dans les landes dégagées de certaines îles. Une randonnée en forêt complètera sa perception en lui révélant la végétation luxuriante des tourbières et la présence rafraîchissante de petits lacs. La Minganie, c'est surtout la juxtaposition sur une faible superficie de plusieurs habitats influencés de façon plus ou moins marquée par le froid, la mer ou le calcaire. Cette diversité n'est pas le lot de plusieurs régions et fait sans contredit de l'archipel de Mingan un site unique.

« *Nous sommes saisis d'admiration*
devant la grandeur du paysage.
Les impressionnantes terrasses marines
nues qui semblent des accumulations
de galets calcaires concassés,
rappellent certains sommets des Shickshocks,
le Mont Albert par exemple. »

Marie Victorin,
Flore de l'Anticosti – Minganie.

L'habitat dominant: la forêt

*« Puis c'est le fond d'Épinettes et de Sapins, aux verts
diversifiés suivant l'âge et les hasards du sol: pyramides régulièrement
étagées; fins clochers qui se sont haussés vers la lumière en s'effilant
sous la pression de voisinages difficiles. »*
Marie-Victorin, Flore de l'Anticosti – Minganie.

Un premier coup d'oeil sur la cartographie des habitats (en annexe) et
le transect schématique d'une île (fig. 13) permet de noter à quel point l'habitat forestier est important. En effet, celui-ci recouvre plus de la moitié de
l'ensemble des îles. Souvent sous-estimé par les amateurs de beaux paysages,
cet habitat considéré impénétrable, mais à tort, renferme de fort jolies plantes
et constitue par temps chaud un véritable oasis de fraîcheur.

La forêt minganienne est avant tout dominée par des conifères et principalement par le sapin baumier et l'épinette blanche, qui supportent à maturité
de longs lichens pendants (photos n°s 42 et 43). La forêt la plus typique est
constituée d'un grand nombre de sapins d'un diamètre moyen de 10 cm et
d'une hauteur qui varie habituellement entre 6 et 12 m, soit de 3 à 6 fois
la taille d'un homme. Ici et là croissent de robustes épinettes blanches, d'un
diamètre plus considérable (20 cm) et atteignant jusqu'à 15 m de hauteur.
Plus hautes, ces dernières dépassent souvent les sapins et leur cime se
détache régulièrement contre l'azur du ciel. De telles variations dans la grosseur des sapins et des épinettes blanches semblent s'expliquer par les propriétés intrinsèques de ces espèces végétales. Alors qu'un sapin atteint la sénescence à près de 60 ans, l'épinette blanche atteint ce même état beaucoup plus
tard, soit vers 120 ans. De plus, l'épinette blanche est reconnue pour se développer très bien à proximité de la mer, l'air salin et la forte humidité atmosphérique lui étant favorables.

Le parterre de la forêt n'est pas très original en ce sens qu'on y retrouve
les mêmes plantes que dans la plupart des forêts conifériennes du Québec,
notamment une fougère nommée la dryoptéride spinuleuse ainsi que le quatre-temps, le maïanthème du Canada, la clintonie boréale, l'habénaire à feuilles
orbiculaires, la gaulthérie hispide, la listère cordée, le monésès uniflore et
la coptide du Groenland. Le sol est tapissé d'une mousse très abondante et
semblable à une petite plume, le *Pleurozium schreberi* (fig. 14).

Tous ces végétaux s'enracinent dans un humus de forte épaisseur (20
cm en moyenne) formé de débris végétaux (plantes, aiguilles de conifères,...)
accumulés au cours des siècles, à la faveur d'une forte humidité atmosphérique (photo n° 44). Cet humus empêche les plantes de s'enraciner dans le
sol minéral calcaire sous-jacent et de profiter ainsi de ses éléments minéraux.
Sans cette barrière, la végétation serait sans doute très différente. Après une
pluie ou après la fonte des neiges, l'eau s'infiltre dans l'humus, s'enrichit

des substances libérées par la décomposition des végétaux et parvient jusqu'au sol minéral. Cette eau délave les 5 à 10 premiers centimètres du sol minéral, au point de les blanchir parfois complètement. Les substances organiques qu'elle transporte sont par la suite retenues plus profondément pour former une couche de couleur brun foncé à noir. Comme le calcium en excès dans le sol minéral freine l'infiltration en profondeur de ces substances humiques, cette couche est relativement plus foncée et plus mince que celle développée dans un sol non calcaire. La présence de coquillages dans un gravier relativement fin révèle par ailleurs que les îles étaient autrefois complètement recouvertes par la mer. Les quelques monolithes perdus en forêt se portent également garants d'un long travail d'érosion.

Une forêt perturbée par le vent et les hommes

Âgée de plus de 60 ans, la forêt devient vulnérable aux chablis, car l'intérieur de ses nombreux sapins commence à pourrir. C'est donc régulièrement

13
Répartition des principales unités de végétation sur une île de la Minganie (représentation schématique).

Littoral supérieur
1 élyme des sables et pois de mer
Forêt naturelle
2 épinette blanche
3 sapin et épinette blanche rabougris
4 sapin et épinette noire
5 sapin et épinette blanche
6 épinette blanche et cornouiller stolonifère
Forêt perturbée (coupe)
7 sapin et dryoptéride spinuleuse
8 sapin et bouleau blanc
9 épilobe à feuilles étroites

⊞ Roche sédimentaire
▨ Dépôt de plage
■ Tourbe

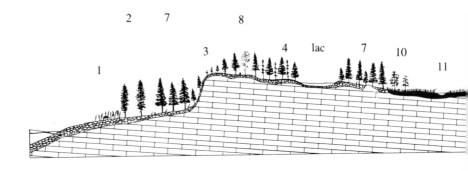

que de petits secteurs forestiers s'écroulent sous l'effet des vents violents. Ces zones de chablis sont difficiles à franchir, vu l'abondance d'arbres couchés au sol. À ces endroits, les sapins se régénèrent rapidement et forment, après quelques années, une forêt basse et excessivement dense. Les chablis sont présents sur la majorité des îles boisées de l'archipel et recouvrent une superficie particulièrement importante sur l'île Sainte-Geneviève.

L'homme influence également le dynamisme des forêts. Avant l'arrivée du mazout sur la Côte-Nord, vers 1950, d'importantes coupes de bois furent effectuées sur plusieurs îles. Les tourbières situées derrière Havre-Saint-Pierre obligeaient en effet ses résidants à s'approvisionner en bois de chauffage dans l'archipel. Les coupes étaient réalisées au cours de l'hiver, à partir du moment où l'état de la glace le permettait, et le bois était rapporté au moyen de traîneaux tirés au début par des boeufs et ensuite par des chiens ou des chevaux. C'est pour cette raison que les principaux sites de coupe se concentrent à proximité de Havre-Saint-Pierre (île du Fantôme, île à Firmin, île du Havre et Grosse île au Marteau) ou à proximité de la côte (île La Petite Romaine). Les années où les conditions de la glace étaient défavorables, on coupait le bois et on le ramenait au printemps ou à l'automne en goélette, remplacée plus tard par la barge. C'est probablement dans ces dernières conditions que l'on a coupé du bois sur des îles aussi éloignées que les îles Sainte-Geneviève et l'île à Bouleaux du Large, qui ne sont jamais reliées à la côte par le banc

Tourbière minérotrophe
10 mélèze
11 scirpe gazonnant
Tourbière ombrotrophe
12 épinette noire
13 chamédaphné caliculé
Tourbière minérotrophe riveraine
14 myrique baumier et mélèze
Lande
15 épinette noire et kalmia à feuilles étroites
16 camarine noire et *Cladina*

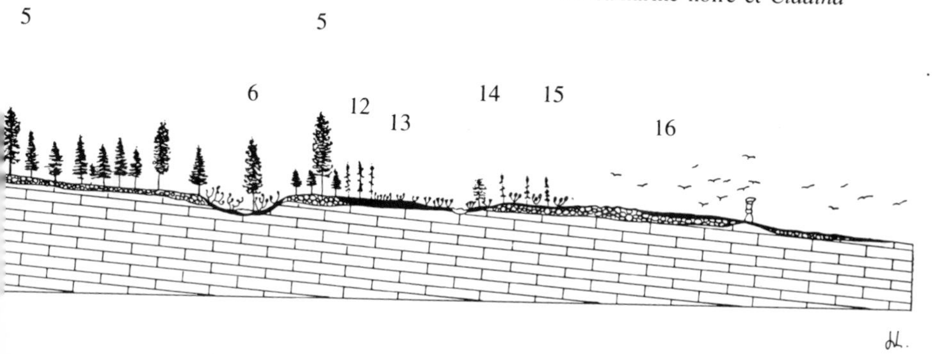

14

Quelques espèces végétales
caractéristiques de la forêt.

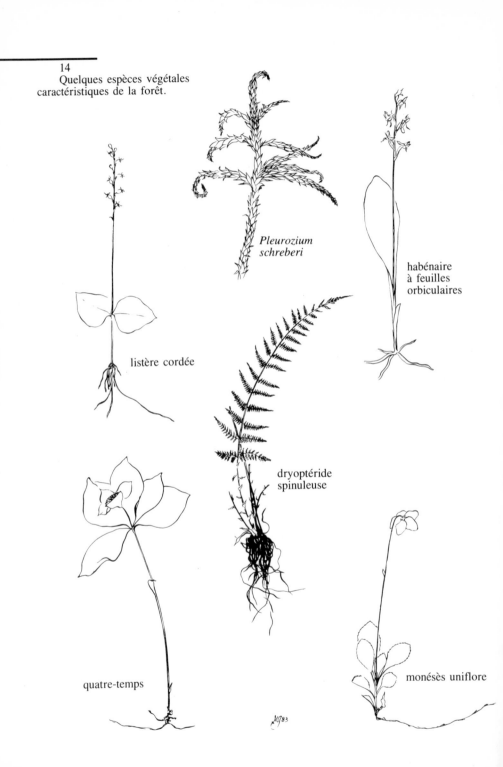

Pleurozium schreberi

habénaire
à feuilles
orbiculaires

listère cordée

dryoptéride
spinuleuse

quatre-temps

monésès uniflore

de glace. Quant aux coupes de la Petite île au Marteau, elles auraient été effectuées par le gardien de phare de cette île. Celles de l'île du Havre de Mingan auraient, par contre, été faites lors de campements estivaux organisés par les Amérindiens de Mingan. Enfin, des coupes auraient été effectuées dans de petits secteurs de la partie nord de l'île Saint-Charles au moment où les « factories de coques » (usines de mye commune) étaient en opération, soit entre 1950 et 1958.

À la suite de ces coupes, la régénération s'est effectuée de différentes façons. Ici et là sur la Grosse île au Marteau ainsi que dans la partie sud-est de l'île Sainte-Geneviève, l'épilobe à feuilles étroites, caractérisée par une jolie grappe de fleurs roses, s'est installée en abondance. Parfois, la régénération s'est faite en sapin et en bouleau blanc. Il en résulte un type de forêt nommé sapinière à bouleau blanc. Les bouleaux blancs, qui ne se reproduisent pratiquement pas sur un parterre forestier ombragé, disparaîtront éventuellement pour faire place à une forêt dominée par le sapin. La majorité des sites ravagés par les coupes se sont toutefois régénérés presque exclusivement en sapins; environ 30 ans après les coupes, il en résulte des sapinières d'une hauteur moyenne de 6 m. Bien que ces différents patrons de succession soient probablement reliés à la proximité de semenciers et au mode de coupe, la raison profonde de leur existence demeure encore incomprise. Ainsi, on a sans doute favorisé la venue de l'épilobe en brûlant les déchets de coupe contenant beaucoup de graines viables de sapins. L'absence généralisée de l'épinette blanche dans les parcelles de forêt reconstituées demeure elle aussi énigmatique, surtout si l'on tient compte du nombre d'individus et de la profusion des cônes au sommet des individus sains.

Plusieurs types de forêt selon les conditions du milieu

Les conditions du milieu (exposition, relief, drainage) modifient sensiblement la physionomie et la composition de la végétation forestière. Sur les sites humides, par exemple, le sapin et l'épinette noire s'unissent pour former une forêt assez dense. Sur le rebord de petits ruisseaux, c'est au contraire l'épinette blanche qui se développe avec, en sous-étage, une arbustaie touffue de cornouillers stolonifères (photo n° 45). Cet arbuste est connu par les gens de la région sous le nom de « canne rouge », lequel rappelle la coloration rouge des jeunes rameaux. À la périphérie des îles s'installe plutôt une forêt touffue, composée de sapins et d'épinettes blanches rabougris. Ces arbres forment à certains endroits une bande quasi infranchissable, véritable enceinte contre le vent, d'une largeur variant habituellement entre 50 et 100 m. Enfin, dans les baies où le vent a peu d'emprise, cette bande cède sa place à de magnifiques épinettes blanches. Ces formations sont beaucoup plus accessibles que les lisières d'arbres rabougris et offrent d'agréables portes d'entrée à qui veut visiter la forêt.

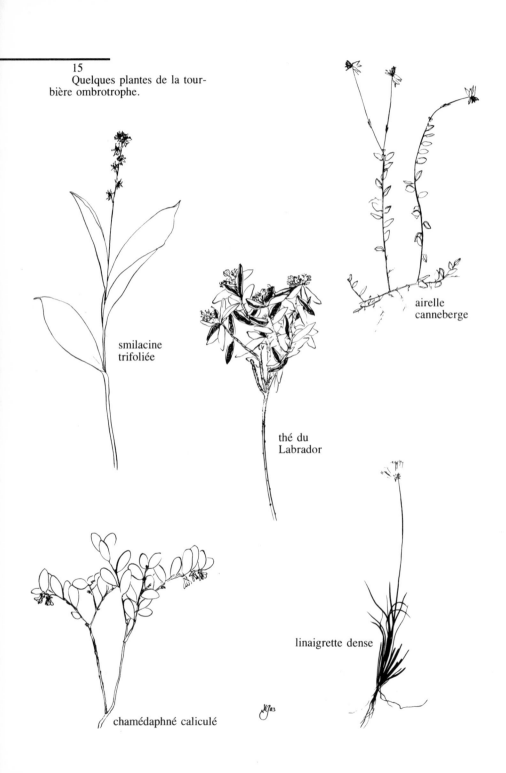

15
Quelques plantes de la tourbière ombrotrophe.

airelle
canneberge

smilacine
trifoliée

thé du
Labrador

linaigrette dense

chamédaphné caliculé

La tourbière, une éclaircie dans la forêt

Par leurs formes multiples et leur végétation bien caractéristique, les tourbières brisent la monotonie des forêts insulaires. Certaines présentent une surface uniforme alors que d'autres, plus attrayantes, sont criblées de mares orientées de différentes façons (photo n° 46). Les tourbières, communément appelées « plaines », s'identifient aux sites mal drainés et occupent près de 15 % de la superficie totale des îles. Elles sont très abondantes sur l'île à la Chasse et ne sont pas à négliger sur l'île Saint-Charles, l'île du Havre et La Grande île.

Les tourbières peuvent être considérées comme de véritables fabriques de matière organique. Les débris des végétaux qui s'y développent s'accumulent d'année en année pour former un dépôt que l'on nomme tourbe. Dans la plaine du Saint-Laurent, la partie superficielle de ce dépôt est exploitée et utilisée pour améliorer la qualité des sols. En Minganie, l'épaisseur du dépôt de tourbe n'est cependant pas très importante et varie de 30 cm à rarement plus de 2,5 m, l'épaisseur moyenne étant de 1,5 m. Cette tourbe repose directement sur l'assise rocheuse et non pas sur un dépôt de plage, comme l'humus dans la forêt.

16
Grâce à leur forme cylindrique, les cellules des sphaignes constituent de véritables petits réservoirs d'eau.

Deux régimes distincts d'alimentation en eau

Sur la base du régime d'alimentation en eau se distinguent 2 grands types de tourbière: les tourbières ombrotrophes et les tourbières minérotrophes. Les premières sont habituellement les plus profondes et s'alimentent de l'eau des précipitations, d'où leur nom ombrotrophe (du grec *ombro*: pluie, et *trophe*: nourrir). C'est probablement ce type de tourbière qui est le plus familier aux gens de la région qui vont y ramasser la plaque bière pour en faire de la confiture (photo n° 47). Comme l'eau des précipitations est plutôt pauvre en éléments nutritifs, le cortège floristique des tourbières ombrotrophes se

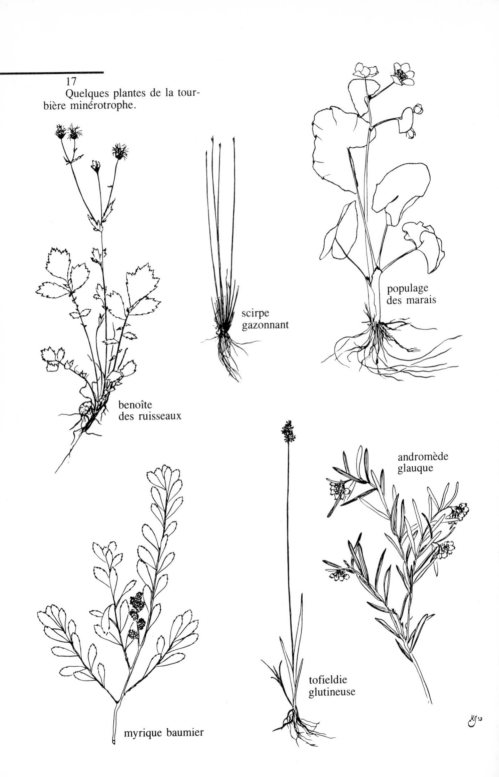

17
Quelques plantes de la tourbière minérotrophe.

benoîte
des ruisseaux

scirpe
gazonnant

populage
des marais

andromède
glauque

myrique baumier

tofieldie
glutineuse

limite à des espèces peu exigeantes, dont plusieurs arbustes bas de la famille des éricacées (photo n° 48). Les plus connus sont le thé du Labrador, le chamédaphné caliculé et le kalmia à feuilles étroites, remarquable par son inflorescence d'un rose très prononcé (photo n° 49 et fig. 15). L'airelle canneberge, une éricacée très délicate, rampe au sol alors que la tête soyeuse de la linaigrette dense se dresse au-dessus des lichens ou des sphaignes. Ces dernières sont des mousses particulièrement bien adaptées aux milieux humides puisqu'elles possèdent des milliers de cellules translucides et gonflées, tenant lieu de minuscules réservoirs d'eau (photo n° 50). Sous le microscope, ces cellules apparaissent comme des cylindres sinueux, perforés et imbriqués les uns dans les autres (fig. 16). C'est grâce à cette organisation que les sphaignes sont capables d'absorber quelques centaines de fois leur poids d'eau. À la périphérie de ce type de tourbière, se retrouve habituellement une bordure touffue d'épinettes noires.

La tourbière minérotrophe est, pour sa part, moins profonde et un peu plus fréquente dans l'archipel que la tourbière ombrotrophe. En plus de l'eau des précipitations, elle bénéficie d'une eau enrichie au contact du sol minéral. Chargée de calcium, cette eau circule près de la surface selon une légère pente. L'excès de carbonate de calcium qu'elle contient précipite souvent dans les étangs et forme un dépôt de marne blanchâtre, d'une épaisseur rarement supérieure à 1 m (photo n° 51).

Ces nombreux étangs, blancs de marne, constituent un des attraits des tourbières de la Minganie. Les dépôts de marne, présents ici et là dans le Bas-Saint-Laurent et la Gaspésie, demeurent relativement rares au Québec. Selon les connaissances actuelles, les plus grandes concentrations d'étangs marneux se retrouveraient en Minganie et sur l'île d'Anticosti. Il ne faut cependant pas retenir que toutes les mares des tourbières minérotrophes possèdent un fond de marne. En effet, plusieurs présentent un fond brunâtre, formé principalement de matière organique.

Plusieurs communautés végétales caractérisent les tourbières minérotrophes de la Minganie. Ces communautés se distribuent en fonction des conditions d'humidité du milieu. Ainsi, dans les mares ou à leur pourtour, fleurit très tôt le trèfle d'eau (photo n° 52) accompagné de quelques mousses, dont l'étonnant *Scorpidium scorpioides*. Cette mousse très robuste et vermiforme s'entremêle pour former un tapis de teinte brun-rouge. Les sites plus fermes et légèrement moins humides sont recouverts d'une végétation herbacée, dominée cette fois-ci par le scirpe gazonnant. Cette végétation herbacée, très commune dans les tourbières minérotrophes de la Minganie, forme de grandes étendues homogènes ou occupe les minces lanières séparant les mares (photo n° 53). Ce parterre est égayé par la présence de l'andromède glauque et de fleurs délicates, quasi exclusives à cet habitat. L'habénaire dilatée, une orchidée, est régulièrement au rendez-vous (photo n° 85). Elle sait charmer par son parfum très doux et son inflorescence blanche disposée en épis. La tofieldie glutineuse, encore plus menue, présente une tige glanduleuse surmontée d'une petite touffe de fleurs minuscules (fig. 17). C'est également dans ce milieu que l'on rencontre ces plantes inusitées qui, pour pallier un manque d'azote, emprisonnent et digèrent de petits insectes. Il s'agit du rossolis d'Angleterre (photo n° 54) et de la célèbre sarracénie pourpre, surnommée dans la région « pipe de lac ». La sarracénie, présente dans les 2 types de tourbières, est cependant peu abondante dans les îles.

À proximité de la forêt et à la marge de ces étendues herbacées, apparaissent de petits mélèzes rabougris (1 à 3 m de hauteur). Leur forme érodée résulte de l'action abrasive des cristaux de neige balayés par de forts vents hivernaux. Cette zone constitue le milieu naturel d'une plante ornementale bien connue, la potentille frutescente, très décorative en raison de ses belles fleurs jaunes. Cet arbuste est accompagné de plusieurs autres espèces végétales, dont le myrique baumier à la sève odorante et la sanguisorbe du Canada, qui souligne par l'éclosion de son épi florifère immaculé que l'été tire à sa fin (photo n° 55). C'est finalement dans les sites les mieux drainés que se développent les formations arborescentes à mélèzes laricins, parsemées à l'occasion d'épinettes blanches. Ces formations présentent généralement un cachet très exotique, en raison de la contorsion des branches des vieux mélèzes. Les mélézaies de la Grosse île au Marteau sont en ce sens particulièrement impressionnantes à visiter. Le parterre se compose encore ici d'une foule de plantes dont les fleurs présentent toute une gamme de coloris, allant du blanc de l'habénaire dilatée au jaune du populage des marais, en passant par le violet de la benoîte des ruisseaux ou le rose de la minuscule orchis à feuille ronde. Soulignons enfin que le mélèze, connu sous le nom « d'épinette rouge », était autrefois utilisé par les gens de Havre-Saint-Pierre pour la fabrication de leurs bateaux. Les qualités de ce bois se prêtaient en effet assez bien à ce type de construction. Plus solide que l'épinette, le mélèze ne pourrit pas facilement et se plie bien à la vapeur.

Lorsque la tourbière minérotrophe est traversée par un ruisseau important, elle est qualifiée de riveraine (photo n° 46). L'effet des débordements printaniers du ruisseau se reflète visiblement sur la végétation qui est avant tout constituée d'arbustes, notamment de myrique baumier et de potentille frutescente.

Un habitat dynamique

Au cours des siècles, la plupart des tourbières minérotrophes se transforment en tourbières ombrotrophes. Par suite de l'accumulation de la tourbe, la végétation minérotrophe est soustraite à l'influence des eaux riches en ions calcium et se modifie progressivement. C'est du moins ce que révèle l'examen des débris végétaux qui composent la tourbe. Les grandes tourbières ombrotrophes de l'île du Havre et de l'île Saint-Charles comptent d'ailleurs parmi les plus âgées puisqu'elles occupent les portions d'îles les plus hautes, donc les premières sorties de la mer (carte en annexe et fig. 11). Comme les tourbières de la Minganie sont d'âges hétérogènes, il est permis de croire qu'elles illustrent divers stades évolutifs dans le processus d'ombrotrophication des tourbières.

D'autres indices suggèrent que certaines tourbières, ou parties de tourbières, évoluent selon un patron différent. Plusieurs gros troncs d'arbres (diamètre moyen de 10 cm) surgissent parfois du fond des mares ou encore jonchent quelques herbaçaies, révélant que jadis ces sites étaient vraisemblablement occupés par de petites formations de mélèzes. Des galettes de tourbe se détachent aussi du fond de plusieurs mares et viennent s'oxyder en surface, contribuant ainsi à les approfondir. Ces quelques constatations sur l'évolution des tourbières permettent surtout de réaliser à quel point cet habitat est complexe et fort changeant. Son dynamisme n'est vraiment pas encore bien compris.

Pour se désaltérer, plusieurs sources d'eau douce

On peut considérer que s'approvisionner en eau potable dans l'archipel est chose relativement facile, compte tenu de la présence occasionnelle de lacs et de ruisseaux. Les gens de la région attachent un intérêt tout particulier à certains lacs puisqu'ils y chassent à l'automne le canard noir et la sarcelle. L'importance de ces plans d'eau varie selon la dimension des îles. La Grande Île est ainsi pourvue des lacs les plus vastes, les 3 principaux atteignant environ 1 km de longueur par 200 m de largeur. Sur l'île à la Chasse, les lacs sont généralement nombreux, mais de taille plus réduite. Ailleurs, ils deviennent de plus en plus sporadiques.

Les lacs dépassent rarement 3 m de profondeur. Au cours de l'été l'eau y est relativement chaude. Le fond est composé d'un épais mélange de matière organique et de marne calcaire, à l'exception des bordures où les cailloux sont nombreux. Ces eaux chaudes et peu profondes offrent peu d'intérêt pour l'ichtyofaune; tout au plus y observe-t-on de petits poissons, probablement des épinoches. Ces lacs pourraient par contre être agréables pour la baignade, si ce n'était de l'abondance de sangsues.

La végétation riveraine se limite généralement à une mince bordure composée de potentille frutescente et de myrique baumier (photos nos 56 et 57). Les herbaçaies sont rares en bordure des lacs et constituées prioritairement par l'une ou l'autre des espèces suivantes: le carex aquatique, le carex rostré, l'éléocharide de Small, la prêle fluviatile et le rubanier à gros fruits (fig. 18). Ces herbaçaies se rencontrent essentiellement sur la rive ouest d'un grand lac occupant la partie sud de La Grande Île et autour des lacs ponctuant l'île

Quelques plantes de la bordure des lacs.

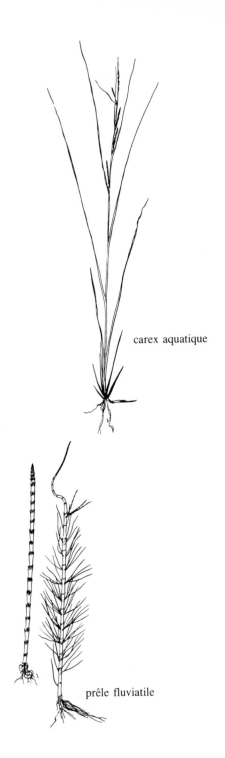

carex aquatique

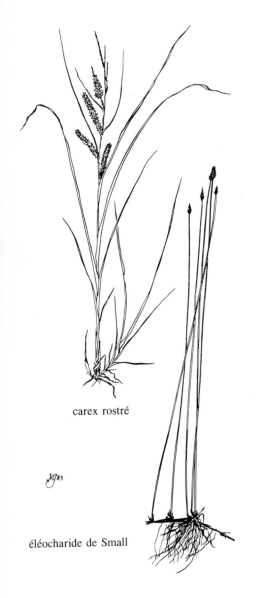

carex rostré

éléocharide de Small

prêle fluviatile

à Bouleaux de Terre (photo n° 58). Elles attirent bon nombre de canards noirs qui semblent y nicher au cours de l'été. La bordure des petits lacs situés près de la mer est, quant à elle, souvent colonisée par d'étroites formations de carex salin.

Les ruisseaux relient les lacs entre eux et s'écoulent directement sur l'assise rocheuse, à l'intérieur des forêts ou des tourbières. Ils se brisent exceptionnellement, comme sur La Grande Île, en petites chutes d'une hauteur de 3 à 4 m; la première se cache dans le fond d'une grande baie orientée vers l'est alors qu'une seconde égaie une falaise surplombant la partie ouest. L'eau de ces ruisseaux plus ou moins chargée de substances humiques apparaît quelques fois jaunâtre. Malgré son aspect, elle est néanmoins rafraîchissante et délicieuse.

La lande ou l'illusion de la toundra

La lande borde plusieurs îles et se présente comme une zone très dégagée, légèrement inclinée vers la mer (photo n° 59). Par ses cailloutis calcaires aux teintes lumineuses et sa végétation composée de lichens, d'arbustes bas et d'arbres rabougris, elle recrée le décor des régions arctiques et alpines. La lande enchante, et face aux grands espaces marins ou au profil lointain de l'île d'Anticosti, on y éprouve inévitablement un sentiment de plénitude et d'immensité.

Les landes recouvrent près de 10% de la superficie totale de l'archipel de Mingan. Elles se développent sur les sites exposés aux vents du large, c'est-à-dire de préférence dans la partie sud et sud-ouest des îles. De façon générale, elles possèdent un relief ondulé, modelé par l'accumulation successive de nombreux cordons de plage. Les landes de l'île Saint-Charles, l'île Niapiskau, l'île Quarry et La Grande Île occupent de grandes surfaces alors que l'île Nue de Mingan est presque complètement recouverte par cet habitat.

Les lichens qui abondent dans les sites très exposés des landes appartiennent surtout au genre *Cladina*. Les principaux représentants en sont *C. rangiferina*, un lichen gris très ramifié, et *C. stellaris*, une espèce plutôt jaunâtre qui rappelle le port d'un arbre feuillu. Ces lichens sont omniprésents dans la toundra et portent le surnom de « mousse à caribou ». Lorsque secs, ils sont rugueux et s'effritent facilement. Après une averse, ils s'humidifient aussitôt et retrouvent leur texture spongieuse. Aux lichens se juxtaposent quelques arbustes bas (fig. 19). Parmi les plus fréquents, il faut certainement retenir 3 espèces dont le fruit est comestible: la camarine noire (ou graines noires), l'airelle vigne d'Ida (ou graines rouges) (photo n° 60) et l'airelle des marécages, un bleuet très peu sucré. À l'automne l'arctostaphyle alpine, un arbuste rampant aux feuilles creusées de fines réticules, se colore d'un

19
Quelques plantes de la lande.

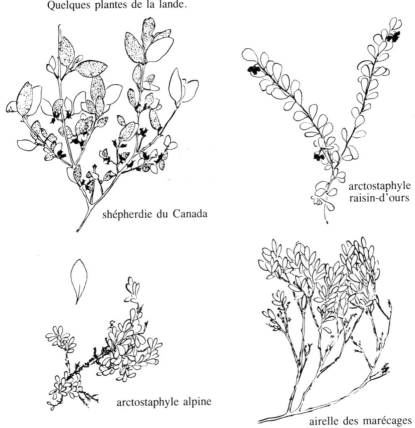

shépherdie du Canada

arctostaphyle
raisin-d'ours

arctostaphyle alpine

airelle des marécages

camarine noire

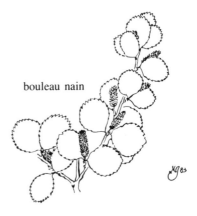

bouleau nain

beau rouge clair (photo n° 61). Tôt le printemps, c'est le calypso bulbeux, considéré par Marie-Victorin comme un chef-d'oeuvre de la nature, qui embellit la lande. La fleur de cette petite orchidée, d'un rose très prononcé, abonde à cette époque (photo n° 62). Elle flétrit rapidement si bien que dès juillet le calypso, réduit à une simple feuille verte, passe inaperçu. Plus tard, les petites drupes orangées de la comandre livide attirent l'attention, même si cette espèce demeure dispersée (photo n° 63). Lorsque le sol minéral fait surface, d'autres espèces plus exigeantes en éléments minéraux apparaissent, notamment l'arctostaphyle raisin d'ours, le genévrier commun avec ses feuilles aciculaires et le shépherdie du Canada, facile à identifier par le revers argenté et rousselé de ses feuilles ovales. Sous forme réduite, se développe ici et là le myrique baumier; la présence de cet arbuste plutôt caractéristique des tourbières semble s'expliquer par la forte humidité atmosphérique du climat.

Dans les légères dépressions, ainsi que derrière les arbres rabougris, ou encore à proximité de la forêt, la combinaison des arbustes change. On y retrouve surtout le bouleau nain ainsi que 2 éricacées également abondantes dans les tourbières ombrotrophes, le thé du Labrador et le kalmia à feuilles étroites. Dans ces sites relativement abrités, les arbustes s'élèvent davantage et atteignent une hauteur moyenne de 30 cm.

Dans un sens plus large, les landes incluent les petites îles basses recouvertes de végétation herbacée. Certaines, surnommées par Marie-Victorin « îles à oiseaux », sont dominées par l'angélique et la berce très grande auxquelles s'ajoute en plus ou moins grande quantité l'épilobe à feuilles étroites. Cette végétation luxuriante est engraissée à souhait par les déjections des oiseaux qui y nichent. Elle caractérise principalement les îles aux Perroquets, l'Îlot, l'île Herbée et l'île à Calculot des Betchouanes. Enfin, d'autres constituent des « îles à foin », comme l'île à Calculot et l'île aux Goélands. Celles-ci ont fait l'objet d'une activité anthropique intense, probablement à partir de la fondation du village de Havre-Saint-Pierre en 1857 jusque vers 1945, alors que les gens y fauchaient une partie du foin nécessaire à l'alimentation de leur bétail. Pour des raisons d'hygiène le bétail fut retiré du village. Aujourd'hui, une longue graminée jaunâtre, le calamagrostide du Canada, domine ces îles.

Des arbres déformés par le vent

Les arbres rabougris ajoutent un élément de curiosité aux landes. Près de la mer, où les vents sont violents et la neige de faible épaisseur, ils sont couramment prostrés. De façon générale, ces arbres sont très âgés et ont souvent plus de 150 ans, comme le révèle le décompte des cernes annuels. À de tels endroits, la régénération se fait souvent par voie végétative; les branches basales d'un individu s'appuient sur le sol, prennent racine et génèrent ainsi de nouveaux individus rattachés au plant mère. Il s'ensuit la formation de petits clones dont la structure rappelle celle d'un candélabre. Cette structure est parfois compliquée, comme le montrent les clones séchés et dégagés lors d'un malencontreux incendie survenu dans la lande ouest de l'île Niapiskau, au cours de l'été 1981. Enfin, lorsque l'on s'éloigne de la mer, les arbres augmentent de taille et plusieurs d'entre eux atteignent même 3 à 4 m à l'orée de la forêt. Toutefois leur port demeure sensiblement modifié par les agents atmosphériques. Leur hauteur ou encore l'absence de branche à certains niveaux donnent une approximation de l'épaisseur du couvert nival à ces endroits.

Un lieu de rassemblement pour les goélands

Les goélands, présents en grand nombre dans l'archipel, perturbent parfois la végétation naturelle des landes. Sur l'île Nue de Mingan, d'importantes colonies nichant depuis au moins le début du siècle semblent avoir modifié la végétation de cette île sur près de 20 % de sa superficie totale. Cette modification se traduit avant tout par l'abondance de pâturin et d'épilobe à feuilles étroites. Elle est attribuable au piétinement et aux excréments qui détruisent la végétation naturelle ainsi qu'à l'apport de graines par le biais des nids de goélands construits, entre autres, à partir de tiges de graminées. Mentionnons que ces nids sont fréquents sous les sapins et les épinettes rabougris, refuges rassurants pour les oisillons.

Un tapis de tourbe isolant et disséqué en polygones

La végétation des landes se développe sur un dépôt de tourbe formé de débris végétaux accumulés dans un contexte climatique maritime frais, donc peu favorable à la décomposition. Il s'agit principalement de débris d'éricacées qui se dégradent très lentement. L'épaisseur de ce dépôt varie de 10 à près de 120 cm, bien que l'on puisse retenir 50 cm comme valeur moyenne.

Comme elle est relativement sèche, cette tourbe constitue un isolant passablement efficace. À cause de sa nature organique, elle conduit très mal le froid et le chaud, propriété rehaussée par sa texture très aérée. Au début de l'hiver la tourbe freine la pénétration du froid dans le sol, tandis qu'à l'été, elle ralentit considérablement le dégel déjà retardé par la fraîcheur du climat. Voilà pourquoi, à la fin du mois d'août et même à l'automne de certaines années, il est possible d'observer ici et là dans la lande de l'île Nue de Mingan de petites lentilles de tourbe gelée. Dans ces conditions, il convient de parler plus exactement de pergélisol, puisque par définition un pergélisol est un sol gelé toute l'année.

Les dépôts de tourbe de l'île Nue de Mingan sont à plusieurs endroits sillonnés d'un réseau de fentes en polygone, notamment dans les parties nord et sud de l'île (photo n° 64). Ces fentes sont étroites (15 à 20 cm en moyenne), profondes (30 à 150 cm) et mesurent normalement entre 3 et 5 m de longueur. En creusant une tranchée dans une fente, on découvre un espace vide, plus ou moins large et plus ou moins obstrué de matière organique. Les graviers de plage sous-jacents n'apparaissent cependant pas affectés (photo n° 65). Il est possible que cet espace ait été comblé autrefois par une masse de glace ayant la forme d'un triangle inversé (coin de glace), comme cela s'observe aujourd'hui dans quelques tourbières du Nouveau-Québec. Puisque les coins de glace se développent uniquement dans les dépôts gelés en permanence et fissurés par le froid (phénomène de contraction thermique), il est possible que les réseaux de fentes de l'île Nue de Mingan soient des reliques d'une période climatique suffisamment froide pour induire l'installation d'un pergélisol. Cette période s'identifie peut-être au « petit âge glaciaire » reconnu mondialement comme très froid et s'échelonnant de l'an 1450 à l'an 1850. Chose certaine, ce phénomène de dissection est postérieur à 3 000 ans BP (avant aujourd'hui), date du début de l'entourbement sur l'île Nue de Mingan.

En plus d'être présents sur l'île Nue de Mingan, les réseaux de fentes en polygone apparaissent sur l'île à Bouchard, dans la partie sud-ouest de la Grosse île au Marteau, au centre de la Petite île au Marteau, à l'ouest de l'île Saint-Charles et au sud-ouest de l'île Niapiskau. Dans le Québec méridional, ils sont exceptionnels; sur le reste de la Côte-Nord, ils ne sont rapportés que sur l'île Verte, près de Vieux-Fort.

L'investigation des dépôts de tourbe de l'île Nue de Mingan a par ailleurs permis d'éliminer la possibilité que cette île ait déjà été boisée. Cette tourbe est en effet constituée de résidus de plantes similaires à celles qui se développent aujourd'hui en surface. Les charbons de bois retrouvés dans la tourbe de plusieurs landes ainsi qu'à la base de petits arbres séchés révèlent l'avènement de feux sporadiques anciens et allumés probablement par la foudre.

Un milieu hostile dès son origine

Le tapis de tourbe des landes repose sur un gravier calcaire très grossier pouvant atteindre plus de 3 m d'épaisseur. Ce matériel très compact explique en grande partie la présence de cet habitat en Minganie. En effet, comme il se draine très rapidement, il ne favorise guère l'installation des plantules d'arbre se développant de préférence sur les dépôts de sable et de gravier fin. À plusieurs endroits, les cailloutis calcaires n'ont même pas encore été envahis par les lichens ou les arbustes. Complètement dénudés, ils sont très gélifractés et diffèrent sous cet aspect de ceux retrouvés sous le tapis de tourbe; plus arrondis, ces graviers ont été isolés du froid par la végétation. En surface, de petites roches granitiques apparaissent ici et là. Moins poreuses que les roches calcaires, elles ont résisté à la gélifraction et sont à peine désagrégées. Celles-ci ont sans doute été apportées sur les îles par les glaces, alors que le niveau de la mer était supérieur à celui d'aujourd'hui.

20

Quelques plantes des falaises.

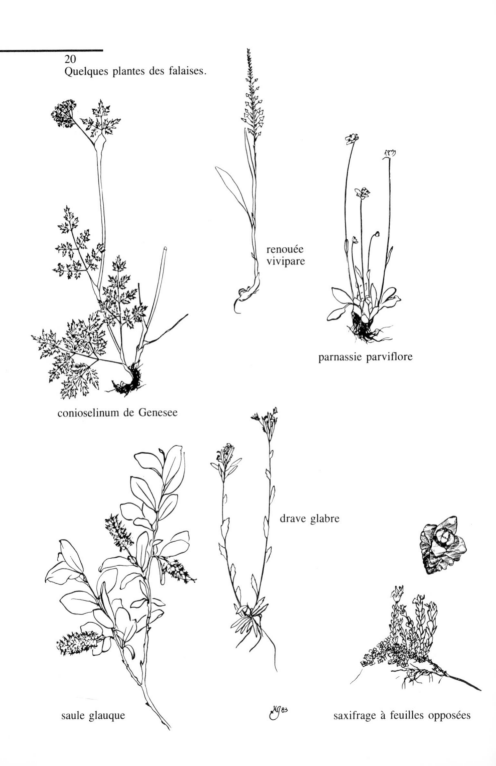

renouée
vivipare

parnassie parviflore

conioselinum de Genesee

drave glabre

saule glauque

saxifrage à feuilles opposées

Les espèces végétales qui réussissent à s'implanter parmi les cailloutis calcaires doivent tolérer un substrat très sec, très basique ainsi que des conditions climatiques rigoureuses. Il en résulte une florule très originale, composée d'espèces montrant des affinités pour le calcaire (calcicoles) et les régions arctiques ou alpines (photo n° 66). La plus abondante est certainement le dryas intégrifolié qui exhibe, une fois fructifié, de longues aigrettes plumeuses, d'où son nom vernaculaire de « fleur de coton ». Les dryas fleurissent dès juin, tout comme le silène acaule, une espèce se développant en petit coussinet dense. En pleine floraison le silène est d'un rose magnifique et sa couleur contraste vivement avec le gris des graviers calcaires. Les rosettes rigides de la saxifrage aïzoon attirent également l'attention par leur forme en coeur d'artichaut (photo n° 75). Même si elle est exclue de ce groupe, il ne faut pas oublier la céraiste des champs, qui enjolive les zones de cailloutis de ses fleurs blanches ou de son feuillage un peu jauni à la fin de l'été.

Des falaises aux profils multiples

Par leurs teintes pâles et leurs formes variées, les falaises confèrent à plusieurs portions d'île un cachet exotique. On y observe une végétation éparse mais colorée, des strates sédimentaires de teinte et de dureté différentes, des corniches prohéminentes défiant les lois de la gravité et de nombreux blocs d'éboulis aux dimensions impressionnantes.

La hauteur des falaises n'est pas vraiment imposante, ne variant qu'entre 3 et 15 m, avec une valeur moyenne de 6 m. Sur le pourtour des îles, un même segment de falaise s'étend rarement sur plus de 1 km. Parmi les îles les mieux garnies de falaises se classent l'île Saint-Charles, La Grande Île, l'île à la Chasse, l'île Sainte-Geneviève, l'île du Havre, l'île Niapiskau, la Grosse île au Marteau et l'île à Bouleaux du Large.

Sur les parois fortement inclinées et très éclairées, seuls quelques lichens se développent. Certains s'incrustent dans la roche (lichen crustacé), alors que d'autres ressemblent à de petites feuilles (lichens foliacés). Ces lichens arborent plusieurs teintes: blanc, jaune, orange, vert, gris, brun ou noir. Parmi ces coloris, l'orange est nettement privilégié en raison de l'abondance d'un lichen foliacé, *Xanthoria elegans*, qui ajoute une chaude tonalité aux monolithes d'érosion (photo n° 67).

De beaux agencements floristiques se développent fréquemment sur les microreplats des murailles fortement inclinées. Ces microreplats exposés aux intempéries et englacés au cours de l'hiver bénéficient heureusement de l'humidité du suintement et d'un très mince dépôt résultant de l'effritement de la roche. Ces conditions favorisent l'implantation d'une grande diversité de végétaux, dont quelques plantes calcicoles de milieu arctique ou alpin (fig. 20, photos n°s 68 et 73 à 77). Parmi les fleurs de tons rosé et violacé se dis-

21

Quelques plantes du littoral supérieur.

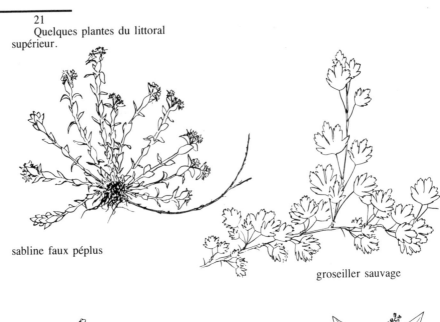

sabline faux péplus

groseiller sauvage

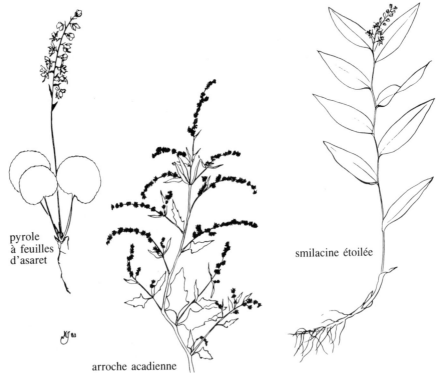

pyrole
à feuilles
d'asaret

arroche acadienne

smilacine étoilée

tinguent la campanule à feuilles rondes, surnommée la « petite cloche bleue », la primevère laurentienne, un peu farineuse, et la saxifrage à feuilles opposées, qui possède à l'extrémité de chaque feuille un petit pore incrusté de calcaire. Parmi les fleurs blanches, on note les parnassies ornées d'étamines gluantes, l'achillée noircie, la renouée vivipare et quelques draves dont les pétales sont disposées en croix. À ces plantes vasculaires s'entremêle régulièrement une mousse du genre *Bryum* surmontée de fructifications semblables à de petits lampadaires. Sur ce coussinet de mousse se développe parfois la grassette vulgaire, une plante insectivore peu commune dont les feuilles glanduleuses sont réunies en rosette étoilée (photo n° 84). Enfin, à quelques endroits, le suintement devient excessif, favorisant la croissance d'un tapis continu de bryophytes, véritable revêtement de velours.

Lorsque le matériel meuble est suffisamment épais pour permettre un bon enracinement, la végétation devient beaucoup plus dense, notamment sur les blocs d'éboulis ou sur les sections de falaises relativement peu inclinées. Ces microhabitats supportent maintenant de petits arbustes, dont 2 saules: le saule glauque et le saule vêtu, nommé ainsi en raison de l'envers tomenteux de ses feuilles. Les pâturins abondent, de même que le conioselinum de Genesee aux feuilles très découpées, un peu comme celles des carottes (fig. 20). Évidemment, on ne peut parler des falaises de la Minganie sans mentionner les nombreuses corniches ornées par les touffes de l'orpin rose. Comme cette espèce s'accroche solidement à la roche dans les positions les plus périlleuses, les gens de la région la surnomment souvent la « tripe de roche » (photo n° 69). Elle possède des fleurs mâles d'un jaune éclatant et des fleurs femelles rosées. Ses feuilles épaisses et caoutchouteuses semblent spécialement conçues pour sauvegarder l'humidité dont la plante a besoin. Sur la Grosse île au Marteau, l'orpin forme de magnifiques lisières dans la partie supérieure des falaises; ce sont sans doute les plus jolies de l'archipel.

Les falaises situées en milieu forestier sont ombragées et constituent, à l'encontre des falaises exposées, un milieu excessivement pauvre sur le plan floristique. La végétation y est souvent absente ou se limite à quelques mousses et plantes ombrophiles (qui aiment l'ombre). C'est là que 2 petites fougères délicates s'installent: la cystoptéride fragile et la cryptogramme de Steller (photo n° 70).

À la limite des marées hautes: le littoral supérieur

Le littoral supérieur des îles, communément appelé plage, n'est pas à proprement parler touristique: ni mer chaude, ni sable fin. Il se compose plutôt de gravier fin dans les baies ou forme une mince lisière de graviers grossiers, de cailloux et même de blocs aux autres endroits. Néanmoins, il est très agréable d'y circuler afin d'observer autant les caractéristiques particulières de cet habitat que celles des milieux adjacents, comme la mer, la falaise, la lande ou la forêt.

Le littoral supérieur est une zone rarement soumise à l'action des vagues, mais tout de même touchée lors des tempêtes des marées d'équinoxe. Ces tempêtes éparpillent, comme autant de cartes de visite, des débris de bois et d'algues marines à des niveaux supérieurs aux marées habituelles. La végétation se développe surtout à la faveur des baies abritées. Elle se répartit en bandes parallèles selon la pente du terrain, la présence d'humus, la tolérance des plantes à l'égard du sel, de la sécheresse et du soleil. Les espèces les plus rapprochées de la mer doivent donc être très résistantes et elles présentent souvent un faciès de plante désertique: cuticule épaisse, feuille charnue ou réduite et racine profonde. Les arroches comptent parmi ces plantes pionnières (fig. 21). Leurs feuilles épaisses et triangulaires sont comestibles et s'apprêtent comme celles des épinards; les épinards, les betteraves et les arroches appartiennent d'ailleurs à la famille des Chénopodiacées, qui regroupe plusieurs plantes alimentaires. Au même niveau, s'aventure la sabline faux

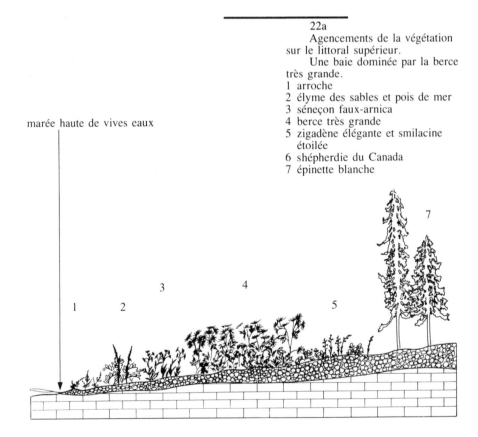

22a
Agencements de la végétation sur le littoral supérieur.
Une baie dominée par la berce très grande.
1 arroche
2 élyme des sables et pois de mer
3 séneçon faux-arnica
4 berce très grande
5 zigadène élégante et smilacine étoilée
6 shépherdie du Canada
7 épinette blanche

marée haute de vives eaux

péplus, une plante encore plus charnue qui s'enracine profondément dans le sol. Ses grosses tiges et ses feuilles réduites favorisent une bonne rétention d'eau dans un milieu où son absorption est difficile. La mertensie maritime, bien que moins fréquente dans cette zone, est beaucoup plus remarquable en raison de l'esthétique de ses rosettes turquoise (photo n° 88). Un examen attentif de la plante permet de constater que ses feuilles sont enduites d'une fine pruine, un autre type d'adaptation pour contrer l'évapotranspiration. Comme cette plante est vivace, il est possible d'observer d'une année à l'autre les mêmes rosettes aux mêmes endroits.

Par la suite, diverses bandes de végétation se développent en fonction de la configuration du littoral (fig. 22). Sur les sites linéaires, en pente douce et bien drainés, une longue graminée, l'élyme des sables, domine nettement. Au sol s'enlacent les vrilles et les folioles du pois de mer, une légumineuse produisant vers la fin de juillet de petites gousses comestibles (photo n° 87). Dans les baies plus profondes, plus humides et au relief plat ou légèrement convexe, cette association végétale se comprime; elle est vite remplacée par le séneçon faux-arnica, facile à repérer par son feuillage foncé et ses grosses fleurs jaunes en marguerite (photo n° 86). Cette végétation précède habituellement une étendue plus vaste, colonisée par la berce. Cette espèce annuelle, surmontée par de grandes ombelles blanches, s'accroît rapidement et rappelle par sa tige creuse et robuste le bambou des pays chauds. En bordure de la forêt, des plantes encore plus attrayantes s'installent sur à peu près tous les sites. Elles portent des noms très évocateurs: la smilacine étoilée, la zigadène élégante, l'iris à pétales aigus surnommé « herbe à crapaud » et la pyrole

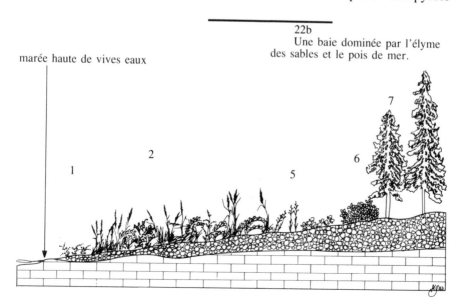

22b
Une baie dominée par l'élyme des sables et le pois de mer.

marée haute de vives eaux

23

Quelques plantes du marais
salé.

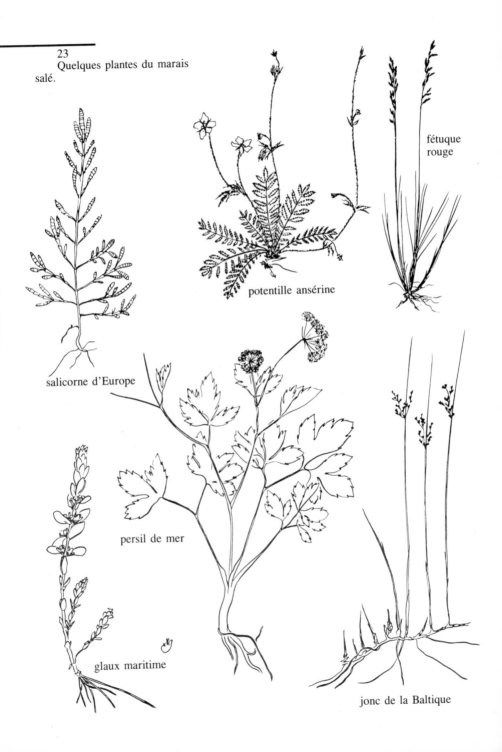

fétuque
rouge

potentille ansérine

salicorne d'Europe

persil de mer

glaux maritime

jonc de la Baltique

à feuilles d'asaret caractérisée par une grappe de jolies fleurs roses, disposées le long d'une hampe délicate (fig. 21 et photo n° 71). Au mois d'août, cette zone réserve également aux amateurs de petits fruits sauvages quelques surprises appétissantes, notamment de petites fraises et des groseilles sauvages. Enfin, à la limite du littoral supérieur, les majestueuses épinettes blanches sont parfois devancées par une mince bande de shépherdie du Canada, un arbuste également présent dans la lande.

Le marais salé, encore sous l'emprise de la mer

Le marais salé constitue le dernier-né des habitats, car il se relie encore de façon étroite à la mer. C'est à l'automne qu'il est au sommet de sa splendeur alors que sa végétation se teinte de couleurs fauves et dorées. Comme il est bien abrité, l'eau y arrive sans force et y dépose des sédiments fins retenus par un réseau dense de racines et un fin treillis d'algues vertes filamenteuses. En profondeur des organismes décomposeurs recyclent la matière organique et produisent, en raison des conditions anaérobiques, des gaz sulfureux qui confèrent à cet habitat une odeur bien caractéristique, désagréable au premier contact.

Les marais salés de la Minganie sont complètement inondés aux marées d'équinoxe, partiellement inondés aux marées de vives eaux (pleine et nouvelle lunes) et pratiquement exondés lors des marées normales. Comme dans tous les habitats où l'eau est un facteur du milieu important, la composition de la végétation reste dépendante du niveau de la nappe phréatique. La gradation de la végétation débute normalement dans les parties humides par la salicorne d'Europe, une plante charnue, ramifiée et semblable à un petit cactus (fig. 23 et 24). Les jeunes pousses de cette espèce riche en iode sont succulentes et assaisonnent très bien une salade ou une soupe. Dans l'archipel, la salicorne est cependant trop dispersée pour qu'on puisse l'utiliser intensivement à ces fins. À une altitude un peu plus élevée, s'installe le plantain maritime plutôt rougeâtre et rappelant par ses fructifications le plantain de nos pelouses (photo n° 72). Puis, à tour de rôle apparaissent le glaux maritime, une petite halophyte de couleur glauque, la délicate fétuque rouge, la potentille ansérine décorée de jolies fleurs jaunes, le sobre jonc de la baltique ainsi que le persil de mer, qui doit son nom à la saveur de ses feuilles. L'influence des eaux douces en provenance de la forêt se manifeste ici et là par la présence du carex paléacé qui laisse pendre ses fruits munis d'écailles longuement acuminées. Mentionnons que la spartine alterniflore, très fréquente dans les marais salés de l'estuaire du Saint-Laurent, demeure rare en Minganie. Elle colonise la partie inférieure des marais et les petites dépressions où elle est quasi méconnaissable compte tenu de sa taille réduite (15 à 50 cm de hauteur).

L'archipel de Mingan compte 3 grands marais salés localisés sur l'île Saint-Charles, l'île Niapiskau et l'île La Grosse Romaine. Devancé par un long platier et protégé par 2 flèches littorales, celui de l'île Niapiskau est sans aucun doute le plus intéressant à visiter en raison de sa beauté et de l'étagement bien exprimé de sa végétation. La présence de cet habitat dans le golfe revêt, par ailleurs, un cachet un peu exceptionnel. En effet, ce milieu maritime fort exposé se caractérise davantage par un littoral sableux, caillouteux et rocheux. Au même titre que la lande ou la tourbière minérotrophe, le marais salé concourt à l'originalité des habitats de la Minganie. Alors que la lande recrée une atmosphère de toundra et que la tourbière minérotrophe rappelle les paysages d'Anticosti, le marais salé évoque les batures de l'estuaire du Saint-Laurent. À ces habitats s'ajoutent bien sûr des falaises pittoresques, un littoral dénudé ou généreusement verdoyant, ainsi qu'une forêt conifé-rienne, typiquement boréale, agrémentée de petits lacs et de tourbières ombro-trophes. Visiter la Minganie constitue donc une expérience extrêmement enri-chissante, puisque c'est du même coup se familiariser avec plusieurs contrées du Québec.

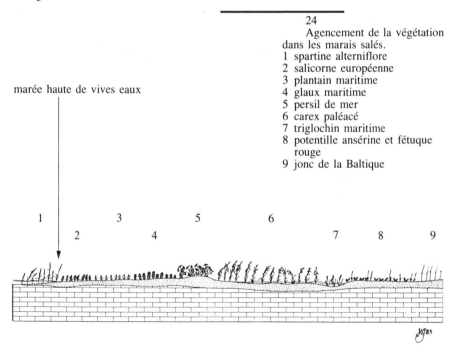

24
Agencement de la végétation dans les marais salés.
1 spartine alterniflore
2 salicorne européenne
3 plantain maritime
4 glaux maritime
5 persil de mer
6 carex paléacé
7 triglochin maritime
8 potentille ansérine et fétuque rouge
9 jonc de la Baltique

marée haute de vives eaux

1   3   5   6
  2   4   7   8   9

Végétation

3 Les habitats terrestres

La forêt

42
La forêt minganienne est relativement dégagée et se compose surtout d'un grand nombre de sapins et de quelques épinettes blanches.

43
Tels de longues barbes, plusieurs lichens pendent sur les arbres. Certains sont jaunes (genre *Alectoria*), d'autres brun foncé (genre *Bryoria*).

44
Dans la forêt, les débris végétaux s'accumulent pour former un humus épais (a) surmontant un horizon minéral délavé (b). Les substances humiques, entraînées en profondeur, ont généré un horizon brun foncé à noir. Plus bas, on identifie le dépôt originel, formé de graviers fins et de coquillages (c).

45
L'inflorescence du cornouiller stolonifère, surnommé « canne rouge », forme une magnifique cyme de fleurs blanches.

Les tourbières

46
Certaines tourbières (ombrotrophes) présentent une surface uniforme (a) alors que d'autres (minérotrophes) sont criblées de mares (b) ou longent de petits ruisseaux (c).

47
Fruit de la plaque-bière, nommée aussi chicoutée.

48
La végétation des tourbières ombrotrophes est fréquemment dominée par des arbustes de la famille des éricacées.

42

43

44

45

46

c

a

b

48

47

49
L'éricacée la plus colorée des tourbières est sans contredit le kalmia à feuilles étroites. Sa corolle rose en forme de coupe est creusée de 10 petites dépressions dans lesquelles loge le sommet des étamines arquées. À maturité, les étamines se redressent, éjectant alors leur pollen (île Saint-Charles).

50
Les sphaignes sont des mousses très communes dans les tourbières. Elles forment souvent de petits coussinets serrés sur lesquels se développent plusieurs plantes, notamment le rossolis à feuille ronde, une espèce insectivore (île Saint-Charles).

51
Une curiosité dans les tourbières minérotrophes: l'étang à fond de marne (île Niapiskau).

52
Le trèfle d'eau envahit fréquemment le rebord des mares. Sa floraison est très printanière et son inflorescence s'épanouit progressivement de la base vers le haut (île Nue de Mingan).

53
Ici, l'herbaçaie à scirpe gazonnant occupe les lanières d'une tourbière minérotrophe (île Quarry).

54
Le rossolis d'Angleterre est une plante insectivore qui capture de petits insectes grâce à des pseudo-poils glanduleux.

55
La sanguisorbe du Canada fleurit vers la fin de l'été. Les longues étamines blanches transforment alors le frêle épi en un riche manchon blanc (La Grande Île).

49

50

51

52

53

54

55

3 Les habitats terrestres

Les lacs

56
Bordure typique des lacs de l'archipel de Mingan: une très mince arbustaie composée surtout de potentille frutescente et de myrique baumier avant de parvenir à la forêt (La Grande Île).

57
Le jaune éclatant de la fleur de la potentille frutescente explique sans doute en partie le succès de cet arbuste comme plante ornementale (île du Havre).

58
Ce lac de l'île à Bouleaux de Terre diffère de la majorité des lacs de l'archipel par la présence sur ses rives d'herbaçaies à carex rostré et, vers l'arrière, à carex aquatique.

La lande

59
Lande de l'île Nue de Mingan où se dressent fièrement plusieurs monolithes.

60
L'airelle vigne-d'Ida est une éricacée qui rampe sur le sol. Ses fleurs roses en forme de cloche produisent à la fin de l'été des baies rouges comestibles.

61
À l'automne, les feuilles de l'arctostaphyle alpine se colorent de rouge, rehaussant ainsi la beauté des landes.

62
Le calypso bulbeux fleurit très tôt et se repère alors très facilement dans la lande. Plus tard, son unique feuille verte se confond avec les arbustes bas de cet habitat.

56

57

58

59

60

61

62

3   Les habitats terrestres

63
Parmi les plantes herbacées de la lande, se distingue la comandre livide par sa teinte particulière et ses fruits orangés (île Saint-Charles).

64
Vue aérienne des réseaux de fentes polygonales de l'île Nue de Mingan. Un tel paysage s'apparente beaucoup à ceux des régions arctique et subarctique.

65
Le vide laissé dans la tourbe est peut-être une relique de petits coins de glace similaires à ceux que l'on retrouve actuellement dans les milieux tourbeux du Nouveau-Québec (île Nue de Mingan).

66
Le silène acaule est particulièrement bien adapté aux conditions écologiques rigoureuses des landes. Sa forme en coussinet lui permet de bien résister aux forts vents et de sauvegarder chaleur et humidité (île Nue de Mingan).

La falaise

67
Les lichens sont fréquents sur les falaises et les monolithes d'érosion; le plus abondant est le lichen orangé, *Xanthoria elegans* (île Niapiskau).

68
La campanule à feuilles rondes, surnommée « la petite cloche bleue », privilégie les replats des falaises et le littoral supérieur.

69
L'orpin rose s'agrippe aux falaises au moyen de racines très robustes lui permettant d'occuper les positions les plus inusitées. Ses fleurs mâles forment des bouquets tout à fait resplendissants.

63

64

65

66

67

68

69

3 Les habitats terrestres

70
La cryptogramme de Steller est une fougère délicate qui croît dans les anfractuosités des falaises.

Le littoral supérieur

71
La zigadène glauque possède des sépales jaunâtres ornés de grosses glandes vertes.

Le marais salé

72
Le plantain maritime colore par son inflorescence ocre les légères dépressions du marais salé.

4 La flore

Les plantes arctiques-alpines

73
L'étymologie du mot saxifrage signifie «briseur de roche», ce qui décrit bien l'habitat de ces plantes. Ici, la saxifrage cespiteuse s'identifie par le sommet trifide de ses feuilles.

74
En pleine floraison, la saxifrage à feuilles opposées est vraiment splendide.

75
La saxifrage aïzoon est une calcicole qui a la propriété d'excréter du carbonate de calcium à la marge de ses feuilles. Ainsi parées, les feuilles apparaissent givrées, rappelant les affinités nordiques de cette espèce.

76
Le dryas intégrifolié fleurit très tôt. Sa corolle blanche, tournée vers le soleil, concentre les rayons lumineux vers les parties reproductrices afin d'activer leur développement.

70

71

72

73

74

75

76

77
Dès juillet le dryas est en fruit.
Son surnom, «fleur de coton», lui
vient de ses longues aigrettes
soyeuses.

Les plantes rares

78
Détail des pièces florales du
somptueux cypripède blanc.

79
Tige florifère du chardon de la
Minganie, une plante qui a beau-
coup fait parler d'elle.

Les plantes calcicoles

80
La gentiane des îles, caractérisée par sa fleur violacée, agrémente
le littoral supérieur de quelques îles.

81
Au moment de sa floraison,
c'est-à-dire tôt le printemps, le petit
cypripède à fleur jaune donne un
éclat particulier aux landes de la
Minganie.

82
Avec ses fleurs rose vif, ses
feuilles et sa tige farineuses, la primevère laurentienne constitue l'une
des plus jolies plantes de la falaise.

83
Il faut vraiment scruter avec
circonspection les cailloutis calcaires
de la lande pour découvrir cette
petite calcicole, l'androsace
septentrionale.

77

78

79

80

82

81

83

84
La grassette vulgaire est une
plante insectivore peu commune. Sa
rosette étoilée d'un vert fluorescent
la met en évidence dans les tourbières minérotrophes ou sur les coussinets de mousse des falaises.

85
Parmi les orchidacées de la
Minganie, l'habénaire dilatée est
certainement celle qui dégage le
parfum le plus agréable.

Les halophytes

86
Les plantes halophytiques adoptent des ports différents. Le séneçon
faux-arnica est pour sa part cou-
ronné de plusieurs grosses fleurs
jaunes...

87
... alors que le pois de mer
présente de belles fleurs rosées
qui donnent un air de gaieté au littoral supérieur.

88
La mertensie maritime forme à
l'occasion de grandes rosettes bleu-
tées sur le gravier des plages. Ses
feuilles charnues et pruineuses
aident à sauvegarder l'humidité dont
la plante a besoin.

89
Deux iris se développent dans
l'archipel. Le plus haut, l'iris versi-
colore, croît dans les dépressions
humides. Ici, il s'agit de l'iris à
pétales aigus, une halophyte faculta-
tive commune sur le littoral des îles
de Mingan.

Les plantes introduites

90
Le laiteron des champs, une
espèce originaire d'Eurasie.

84

85

86

87

88

89

90

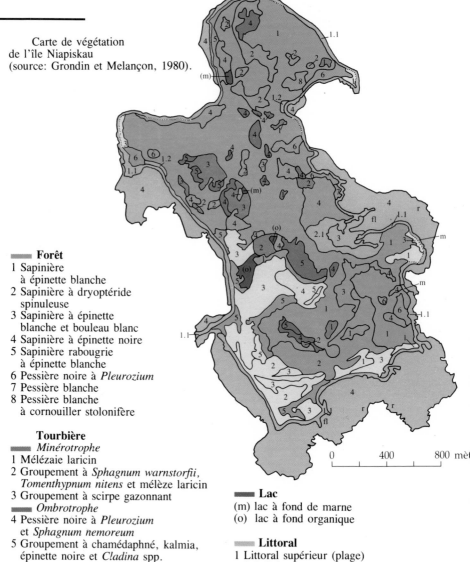

Carte de végétation
de l'île Niapiskau
(source: Grondin et Melançon, 1980).

▬▬ Forêt
1 Sapinière
à épinette blanche
2 Sapinière à dryoptéride
spinuleuse
3 Sapinière à épinette
blanche et bouleau blanc
4 Sapinière à épinette noire
5 Sapinière rabougrie
à épinette blanche
6 Pessière noire à *Pleurozium*
7 Pessière blanche
8 Pessière blanche
à cornouiller stolonifère

Tourbière
▬▬ *Minérotrophe*
1 Mélézaie laricin
2 Groupement à *Sphagnum warnstorfii,
Tomenthypnum nitens* et mélèze laricin
3 Groupement à scirpe gazonnant
▬▬ *Ombrotrophe*
4 Pessière noire à *Pleurozium*
et *Sphagnum nemoreum*
5 Groupement à chamédaphné, kalmia,
épinette noire et *Cladina* spp.

.... Falaise

▬▬ Lande
1 Pessière noire à kalmia et *Cladina* spp.
2 Groupement à camarine noire
et thé du Labrador
3 Groupement à *Cladina stellaris*
et camarine noire
4 Groupement à *Cladina stellaris*,
camarine noire et arbres rabougris
5 Sol nu (cailloutis calcaires)

0   400   800 mè

▬▬ Lac
(m) lac à fond de marne
(o) lac à fond organique

▬▬ Littoral
1 Littoral supérieur (plage)
  1.1 Sol nu
  1.2 Groupement à berce très grande
2 Marais salé
  2.1 Zone dominée par le
       groupement à glaux maritime
3 Lagune
4 Platier

Points d'intérêt
m monolithes d'érosion
fl flèches littorales
r concentration d'oiseaux de rivage

4.
La flore

    L'archipel de Mingan a acquis une partie de sa réputation comme site exceptionnel au Québec grâce à la qualité et à la diversité de sa flore. Bien que celle-ci se compose principalement de plantes caractéristiques de la forêt boréale, elle inclut plusieurs éléments originaux qu'il est difficile, voire impossible d'observer ailleurs dans le Québec méridional. Mises en valeur par le décor insulaire unique de la Minganie, bon nombre de ces plantes sont absolument fascinantes.

« Nous allons interroger
une parcelle d'un grand avant-pays disparu
et comparer les reliques floristiques
qu'elle a sauvées de l'étouffement
par la horde vigoureuse
et touffue des plantes de la forêt. »

Marie-Victorin,
Flore de l'Anticosti – Minganie.

Une flore rendue célèbre par Marie-Victorin

La connaissance de la flore minganienne, de plus en plus précise, est le fruit d'une recherche qui dure maintenant depuis plus d'un siècle et demi. Parmi les pionniers ayant oeuvré dans ce domaine, figurent Saint-Cyr, le premier à publier en 1886 le résultat de ses herborisations sur la Côte-Nord, et St.John, qui réalise en 1922 une synthèse des données botaniques accumulées jusque-là pour cette région. À cette époque près de 180 plantes vasculaires sont rapportées sur les îles de Mingan. Et ce n'est qu'un début!

Ce sont assurément les travaux des frères Marie-Victorin et Rolland-Germain qui ont le plus contribué à faire la renommée de la flore de l'archipel. Ces illustres botanistes herborisèrent en Minganie de 1924 à 1928, mais les résultats de leurs recherches ne furent publiés qu'en 1969, dans la *Flore de l'Anticosti – Minganie*. Ce travail représente un pas de géant dans l'évolution des connaissances botaniques de ce territoire. Il analyse les particularités de cette flore et insiste sur la présence de plusieurs espèces jugées alors endémiques (qui ne se retrouvent nulle part ailleurs). Enfin, grâce à cet inventaire, le nombre total de plantes vasculaires connues dans l'archipel s'accroît de façon significative et passe de 180 à 350 espèces (selon les traitements taxonomiques modernes).

Depuis lors, les données n'ont cessé de s'accumuler, les visites de différents botanistes se multipliant à compter de 1957. Aujourd'hui, cette flore comprend tout près de 475 plantes vasculaires, ce qui est passablement impressionnant lorsque l'on considère la faible superficie de l'archipel. Bien qu'ils excluent le littoral, les inventaires écologiques récemment réalisés sur la Côte-Nord ne rapportent que 370 plantes (Lavoie, en prép.) pour un territoire qui est tout de même 2 300 fois plus grand! Cette comparaison démontre clairement à quel point la flore des îles de Mingan peut être riche.

Les inventaires contemporains se sont aussi intéressés aux mousses et aux lichens. En raison de leur taille réduite, ces végétaux ont longtemps été négligés, d'autant plus que leur identification requiert des compétences un peu plus spécialisées. À la suite des travaux de plusieurs botanistes, le recensement de chacune de ces deux entités s'élève aujourd'hui à près de 185 espèces. Des progrès notables ont donc été faits dans ces domaines, depuis les premières observations de Marie-Victorin.

Une flore inégalement distribuée

Le dénombrement des espèces végétales ne constitue qu'une étape dans l'étude de la flore d'un territoire. En soi, un tel recensement est certes intéressant, mais il le devient davantage si des relations sont établies entre les plantes et les différents habitats d'une région. De ceux qui composent l'archipel, on peut effectivement se demander lequel accueille le plus grand nombre de plantes vasculaires. La réponse à cette question apparaît au tableau 2, où la répartition des espèces par habitat est illustrée sous forme d'histogramme. Bien que la forêt soit l'habitat dominant sur les îles, c'est la tourbière minérotrophe qui est la plus comblée de tous, comptant environ 135 espèces, soit près de 30% de l'ensemble des plantes vasculaires de l'archipel. Pour qui connaît les tourbières minérotrophes de la Minganie, ce résultat n'est toutefois pas surprenant. Avec ses mares, ses herbaçaies, ses buttes et ses formations boisées très humides, cet habitat est un univers en soi; il présente des conditions écologiques extrêmement variées auxquelles correspond nécessairement une grande diversité floristique.

Au deuxième rang se classe le littoral supérieur (plage), où se développent plus de 90 plantes vasculaires. Ce nombre passablement élevé témoigne de l'influence de plusieurs variables (pente, nature du sol, taux de salinité,...) occasionnant dans cet habitat une zonation de la végétation souvent bien tranchée. La forêt, plus homogène sur le plan écologique, ne vient qu'au quatrième rang, alors que le lac, avec ses rebords composés habituellement d'une étroite bande arbustive, constitue l'habitat le plus pauvre de la Minganie.

Tableau 2
Répartition des plantes vasculaires dans
les différents habitats de la Minganie

Habitat	Nombre de plantes
Tourbière minérotrophe	
Littoral supérieur	
Lande	
Forêt	
Falaise	
Marais salé	
Tourbière ombrotrophe	
Lac (bordure)	
Habitat non précisé	

0   50   100   150
Nombre de plantes

Lorsqu'on applique le même traitement aux mousses et aux lichens, les résultats diffèrent quelque peu. Même si la tourbière minérotrophe évince encore les autres habitats au chapitre des mousses, elle est suivie de près, cette fois-ci, par la forêt. Cela n'a rien d'étonnant puisque les mousses tapissent en abondance le sol de cet habitat boisé. C'est de surcroît dans la forêt que la diversité des lichens est à son maximum. La forme de ces végétaux est aussi très variable. Certains lichens s'accrochent comme des chevelures sur les branches et le tronc des arbres (type fruticuleux), d'autres adhèrent en lames minces sur les troncs ou sur le sol (type foliacé), tandis que plusieurs, d'aspect poudreux, incrustent l'écorce des arbres (type crustacé). Les falaises comptent également de nombreux lichens, bien que ce soit toujours la même espèce flamboyante, *Xanthoria elegans*, qui se détache au premier coup d'oeil (photo n° 67). La diversité lichénique de cet habitat s'explique surtout par la présence d'une grande quantité de lichens crustacés à peine perceptibles en raison de leur taille. Dans la lande, les lichens ressortent davantage. Bien qu'ils recouvrent d'importantes superficies, leur nombre se révèle toutefois faible, car ce sont surtout les espèces du genre *Cladina* qui dominent dans cet habitat. Enfin, comme les mousses et les lichens tolèrent mal les endroits submergés, ils sont pratiquement exclus du rebord des lacs et des marais salés.

Une flore diversifiée

Ce qui fait la qualité et la diversité d'une flore, ce n'est pas tant le nombre d'espèces qu'une bonne représentativité de plusieurs catégories de plantes possédant une écologie ou une distribution géographique particulière. À l'aide de ces regroupements écologiques ou géographiques, il est beaucoup plus facile d'esquisser le portrait d'une flore et d'en dégager les traits dominants. Bien que ce type d'analyse s'applique à toutes les classes de végétaux recensées dans l'archipel (plantes vasculaires, bryophytes et lichens), nous ne considérerons ici que les plantes vasculaires.

Des plantes de distribution avant tout boréale

La distribution géographique des plantes, bien que reliée globalement à l'histoire des continents, dépend en grande partie du climat, qui impose à la végétation ses températures et ses cycles saisonniers. Comme l'archipel de Mingan est situé dans la zone climatique boréale, il est tout à fait normal que sa flore se compose à 75 % d'éléments boréaux dont l'aire de distribution coïncide avec celle de la forêt conifèrienne (fig. 25). Ces plantes abondent dans tous les habitats de l'archipel et représentent l'aspect le plus banal de cette flore.

Tableau 3
Répartition des éléments arctiques-alpins et tempérés
dans les habitats de la Minganie

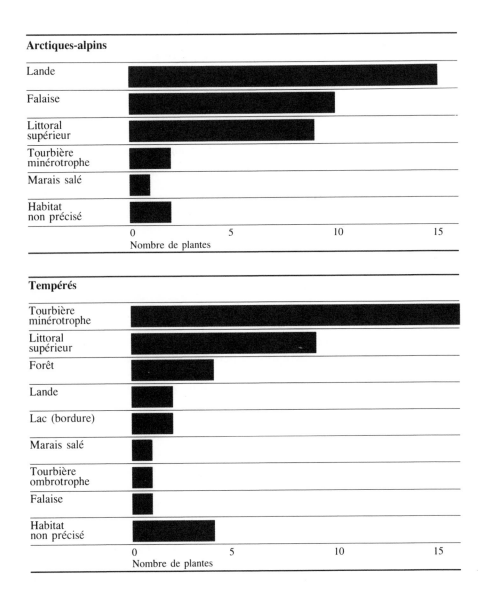

Arctiques-alpins

Lande	
Falaise	
Littoral supérieur	
Tourbière minérotrophe	
Marais salé	
Habitat non précisé	

0   5   10   15
Nombre de plantes

Tempérés

Tourbière minérotrophe	
Littoral supérieur	
Forêt	
Lande	
Lac (bordure)	
Marais salé	
Tourbière ombrotrophe	
Falaise	
Habitat non précisé	

0   5   10   15
Nombre de plantes

Un repaire pour plusieurs plantes arctiques-alpines

Les conditions climatiques rigoureuses qui prévalent dans les milieux ouverts se manifestent toutefois par la présence sur les îles de Mingan d'une florule arctique-alpine. Celle-ci se compose d'espèces qui se distribuent surtout dans la toundra, longent la côte du Labrador pour finalement rejoindre l'île d'Anticosti à l'intérieur du golfe du Saint-Laurent (fig. 26). Leur distribution est par la suite ponctuelle, atteignant les plus hauts sommets du Québec ainsi que quelques sites exposés le long du Saint-Laurent. Pour un botaniste, c'est une véritable aubaine de pouvoir observer autant de plantes arctiques-alpines (plus de 35) à une latitude aussi méridionale que celle des îles de Mingan (annexe 1). Comme elles se développent essentiellement dans les milieux ouverts, ce n'est pas par hasard qu'elles privilégient la lande, la falaise ou le littoral supérieur (tabl. 3). Une dizaine d'entre elles caractérisent et rehaussent plus spécialement la beauté de ces habitats. Les mieux représentées sont l'airelle des marécages, l'arctostaphyle alpine, le dryas intégrifolié, le saxifrage aïzoon et l'orpin rose.

En dépit de leur taille réduite, ces plantes sont merveilleusement adaptées pour survivre dans des conditions écologiques très rigoureuses. Prostrées au sol, elles résistent bien aux forts vents hivernaux qui exercent par l'intermédiaire des cristaux de neige une action abrasive intense. Chez certaines espèces, la persistance des feuilles mortes (marcescentes) à la base de la tige offre une protection supplémentaire. Les feuilles trifides de la saxifrage cespiteuse (photo n° 73) s'accumulent et servent de cette façon à isoler la plante contre le vent et le froid.

Pour pallier un été très bref, les plantes arctiques-alpines présentent d'autres particularités intéressantes. Un grand nombre possèdent ainsi des feuilles qui demeurent fonctionnelles plus d'une année. C'est le cas notamment de l'orpin rose, du silène acaule et de toutes les saxifrages de la Minganie (photos n°s 73 à 75). Dès les premiers rayons de soleil printanier, ces plantes débutent leur activité photosynthétique pour profiter au maximum de la courte saison de végétation. Chez le silène acaule, le rassemblement des feuilles en coussinet permet en plus de trapper l'air chaud et de maintenir les tissus de la plante à une température supérieure à celle du milieu ambiant.

Plusieurs espèces fleurissent aussi très tôt pour tenter d'accomplir avec succès leur cycle biologique. C'est pourquoi le silène acaule, la saxifrage à feuilles opposées et le dryas intégrifolié ne réservent le spectacle grandiose de leur floraison qu'aux visiteurs les plus hâtifs dans l'archipel. La fleur du dryas est particulièrement bien adaptée aux climats rigoureux. Sa corolle blanche tient lieu, semble-t-il, de miroir parabolique et concentre les rayons solaires vers les parties reproductrices afin d'accélérer leur développement (photo n° 76). Lorsque les fruits du dryas parviennent à maturité, ils sont surmontés de longues soies plumeuses qui facilitent la dissémination des graines

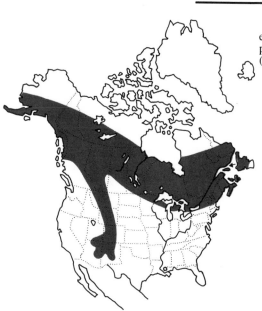

25
Répartition géographique d'une espèce boréale présente dans l'archipel de Mingan: le calypso bulbeux (selon Luer, 1975).

26
Répartition géographique d'une espèce arctique-alpine présente dans l'archipel de Mingan: le dryas intégrifolié (selon Hultén, 1968).

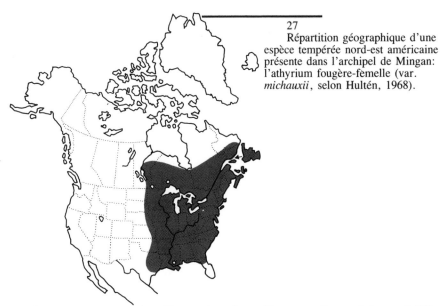

27
Répartition géographique d'une espèce tempérée nord-est américaine présente dans l'archipel de Mingan: l'athyrium fougère-femelle (var. *michauxii*, selon Hultén, 1968).

par le vent, un agent très efficace dans les milieux nordiques (photo n° 77). Enfin, quelques espèces arctiques-alpines ont développé un mode de reproduction végétatif accessoire. La renouée vivipare est, à cet égard, l'espèce la plus exemplaire. Soumise à certaines conditions, elle produit en abondance de petites lames vertes appelées bulbilles qui se détachent et prennent racine sans difficulté, assurant ainsi la propagation de l'espèce.

À l'attrayante florule arctique-alpine se juxtaposent autant d'éléments tempérés (40) dont l'aire de distribution correspond cette fois-ci à celle de la forêt décidue (fig. 27). La majorité de ces plantes sont rares dans l'archipel et se développent généralement à la faveur des milieux moins exposés, notamment la tourbière minérotrophe et la forêt. De façon générale, ces plantes présentent peu d'intérêt pour le botaniste amateur, à l'exception, peut-être, de quelques espèces un peu mieux connues, dont le pigamon pubescent, qui croît dans les milieux humides, le monotrope du pin, qui pointe dans la forêt, et la comandre à ombelle, dispersée dans les milieux ouverts. Leur présence importe davantage aux yeux des spécialistes qui établissent de façon détaillée le profil phytogéographique de différentes régions pour ensuite les comparer entre elles.

Un sanctuaire de plantes rares

À la suite de ses recherches approfondies sur la flore de la Minganie, Marie-Victorin avait conclu à la présence de plusieurs éléments endémiques dans l'archipel. Bien que ces espèces présentaient une parenté évidente avec des plantes de l'ouest canadien, certaines différences morphologiques justifiaient selon lui la création d'espèces ou de variétés nouvelles. Comme ces plantes ne se retrouvaient nulle part ailleurs, elles constituaient aux yeux de Marie-Victorin des endémiques, résultant de l'évolution divergente d'espèces végétales séparées géographiquement pendant longtemps. Depuis cette époque, la connaissance phytogéographique et taxonomique de la flore québécoise a fait d'importants progrès, de sorte qu'aujourd'hui cette épithète ne peut s'appliquer à aucune plante de l'archipel.

La flore de la Minganie n'a cependant pas perdu son caractère d'unicité puisqu'elle comprend 18 plantes rares au Québec. La rareté de ces plantes s'explique en grande partie par la rareté des habitats favorables à leur développement. En consultant leur liste à la fin du volume, on constate effectivement que ce sont toutes des espèces de milieu ouvert, calcicoles pour la plupart. Ces exigences limitent au départ leur répartition au Québec, ce territoire ne regorgeant pas d'enclaves calcaires ni de milieux ouverts naturels dans la zone boréale.

Par ailleurs, plusieurs plantes rares, notamment le cypripède blanc, le vélar à petites fleurs, le scirpe nain, la woodsia de l'Orégon et l'érigeron à tige hirsute se répartissent de façon similaire en Amérique du Nord. Alors que ces espèces connaissent une large distribution dans l'ouest canadien, elles n'occupent que des stations très éparses au Québec, enrichissant de façon aléatoire la flore du sud de la Baie de James, de la Gaspésie, de l'île d'Anticosti, de la Minganie ou de la région du Bic dans le comté de Rimouski (fig. 28). Les îles de Mingan et le sud de la Baie de James constituent toutefois les seules stations connues au Québec pour le cypripède blanc. Ce cypripède dont les pièces florales sont délicatement teintées de jaune et de pourpre est superbe, mais difficile à observer puisqu'il fleurit tôt et se camoufle parmi la végétation arbustive de la lande (photo n° 78). Plus évident, le vélar à petites feuilles, une longue crucifère à fleurs jaunes se dresse parmi les cailloutis gélifractés de cet habitat et du littoral supérieur (fig. 29).

Le patron de distribution géographique de toutes ces espèces appelle des hypothèses. Car, comment expliquer que ces dernières, bien réparties dans l'ouest du Canada, ne se retrouvent dans l'est que dans des stations dispersées et, de surcroît, séparées par des centaines de kilomètres? L'explication actuelle suggère que ces plantes de distribution disjointe se seraient installées en de nombreux endroits après le retrait du glacier et auraient connu alors une distribution quasi continue. Par suite de l'envahissement du territoire par les arbres et les plantes de sols acides, elles auraient tout simplement été supplantées et confinées dans l'est canadien à quelques stations peu propices à l'installation des forêts, soit en raison de la nature du sol, de l'instabilité du milieu (falaise) ou d'un micro-climat trop froid. Enfin, plusieurs plantes rares ne possèdent pas d'aire géographique particulière. Les plus intéressantes sont la cystoptéride fragile, une petite fougère occasionnelle sur les parois

28
Répartition géographique nord-américaine d'une espèce rare au Québec et présente dans l'archipel de Mingan: le cypripède blanc (selon Luer, 1975).

ombragées des falaises et le pigamon alpin, une espèce très délicate dispersée dans les tourbières minérotrophes (fig. 29). Comme ces espèces sont fort peu répandues, on peut, à juste titre, se questionner sur les chances de leur survie dans l'avenir.

Des controverses sur le chardon de la Minganie

« Mais bien plus spectaculaire... était une Composée qu'aucun botaniste ne se serait attendu à trouver en marge des eaux du Golfe Saint-Laurent. Il ne semblait point que notre flore carduacée, si définie, pût subir d'additions substantielles. Aussi est-ce avec une extrême surprise que nous trouvons au saut du canot, à même le cordon littoral, une douzaine d'individus d'un Chardon entièrement nouveau pour notre expérience et ne rappelant en rien les espèces que nous connaissons dans le nord-est de l'Amérique. »

Marie-Victorin, Flore de l'Anticosti – Minganie.

Depuis ce 28 juillet 1924, date mémorable de la découverte du chardon de la Minganie sur l'île du Fantôme, cette composée curieuse n'a cessé d'intriguer les botanistes. Encore aujourd'hui, sa taxonomie, sa distribution géographique et son cycle vital sont autant de problèmes mal résolus. En effet, sur le plan taxonomique, le chardon de la Minganie appartient à un groupe complexe, si bien que son statut est encore plus ou moins bien défini. Alors que certains botanistes le considèrent sous le nom de *Cirsium scariosum*, d'autres le rattachent au *C. foliosum*. Les tendances actuelles penchent cepen-

29

Quelques plantes rares de la
Minganie.

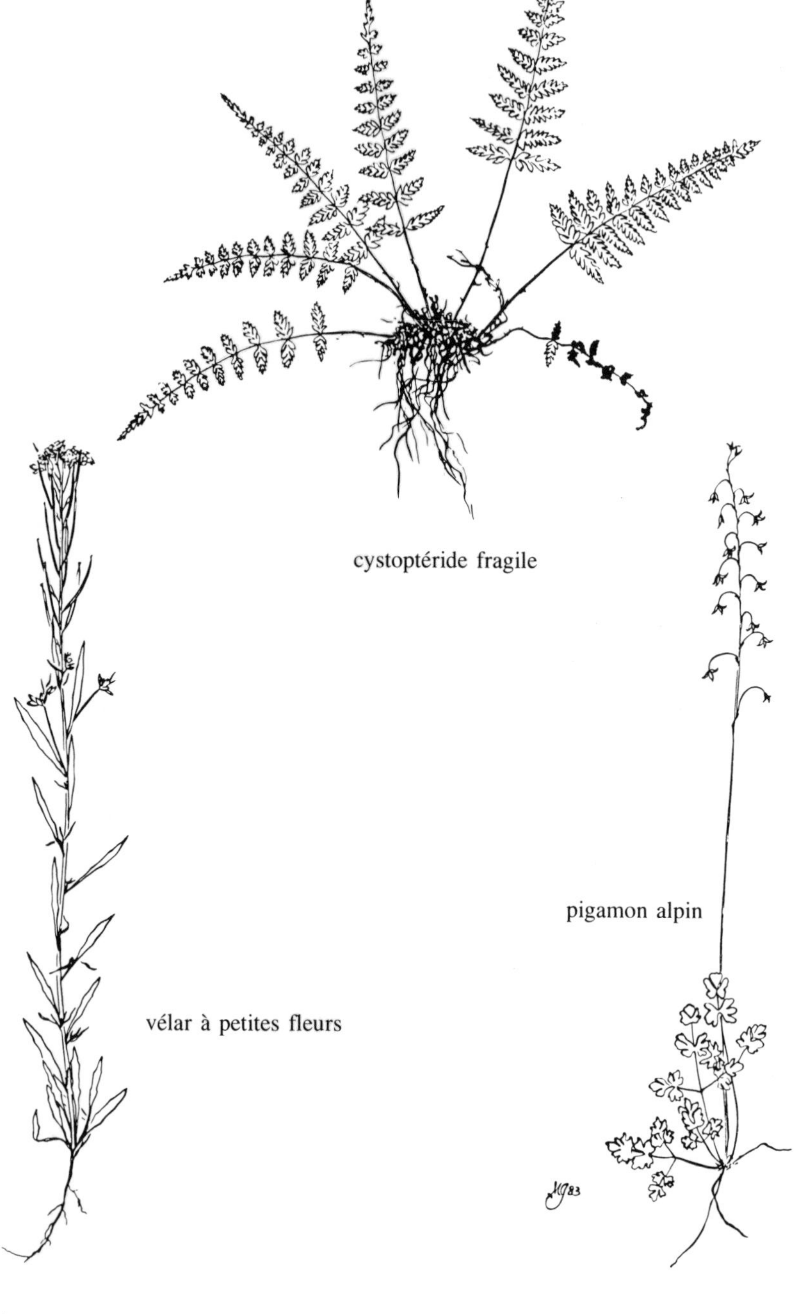

cystoptéride fragile

pigamon alpin

vélar à petites fleurs

dant du côté du *C. foliosum*. Sa répartition géographique tant locale que continentale apparaît aussi fort curieuse. Dans l'archipel, on ne retrouve le chardon que sur 5 îles localisées près de Havre-Saint-Pierre: l'île Niapiskau, l'île du Fantôme, l'île du Havre, l'île aux Goélands et la Grosse île au Marteau. Sur la côte, Marie-Victorin le rapporte en 1925 à La Grande Pointe (près de l'île de la Fausse Passe), mais aucun botaniste ne l'a revu à cet endroit depuis. En Amérique du Nord, sa distribution géographique est de plus disjointe, quel que soit le traitement taxonomique adopté; centrée dans l'ouest, elle ne s'étend par la suite qu'en Minganie (fig. 30).

Certains indices portent à croire que le chardon de la Minganie constitue une espèce introduite sur les îles au cours du siècle dernier. D'une part, il croît sur le littoral supérieur où se développent la majorité des plantes introduites et d'autre part, il occupe les îles les plus fréquentées par l'homme et situées, fait curieux, à proximité des chenaux empruntés par les bateaux.

Mais comment cette espèce des prairies de l'ouest canadien aurait-elle pu être introduite sur les îles de Mingan? Voici donc le scénario proposé par le botaniste Gardner. Au début du siècle, le Canada exportait par bateau du bétail en Europe. Ces animaux, en provenance de l'ouest canadien, étaient transportés à Montréal par train et se nourrissaient au cours de ce voyage de fourrage des prairies contaminé vraisemblablement par des graines, voire des plants de chardon. À Montréal, le surplus de foin était pressé en ballots et monté à bord des bateaux en partance pour l'Europe. Avant d'entreprendre leur traversée, ces bateaux faisaient escale à Havre-Saint-Pierre. C'est alors que les résidus de fourrage non utilisés auraient été jetés à la mer, introduisant des graines de chardon sur certaines îles où elles auraient trouvé bon de germer.

Le chardon se révèle également par son cycle biologique une plante mystérieuse. Ses graines possèdent, en effet, la propriété de demeurer en dormance plusieurs années dans le sol, pour germer, semble-t-il, lorsque les conditions du milieu (le climat, l'humidité…) leur sont favorables. Au cours de la première année, ces graines produisent uniquement une rosette de feuilles au sol. Lors de la seconde, la racine de la rosette produit normalement une magnifique tige feuillée surmontée d'une multitude de fleurs, l'ensemble pouvant atteindre près de 85 cm de hauteur (photo n° 79). Dans l'archipel, la production de rosettes et de tiges florifères semble toutefois très aléatoire et varie sensiblement d'une année à l'autre pour une même station. Ainsi en 1976, 95 rosettes et 12 chardons en fleur étaient recensés sur l'île Niapiskau; en 1982, on ne comptait plus que 3 rosettes au même endroit. Selon les données actuelles, on croit que le nombre de chardons ne puisse dépasser 175 au cours d'une année très prolifique. Comme pour toutes les plantes rares, on devrait leur accorder une extrême protection et en cueillir, ne serait-ce qu'un seul plant, demeure un acte répréhensible.

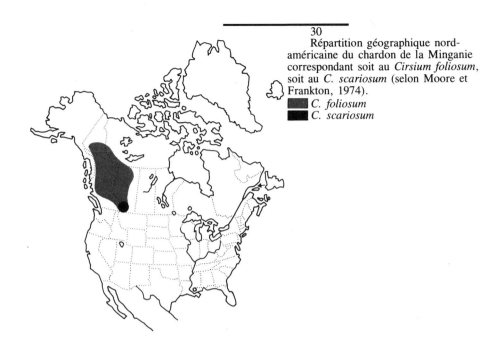

30
Répartition géographique nord-américaine du chardon de la Minganie correspondant soit au *Cirsium foliosum*, soit au *C. scariosum* (selon Moore et Frankton, 1974).
■ *C. foliosum*
■ *C. scariosum*

L'attrait des plantes calcicoles

Outre leur distribution géographique, les espèces végétales se classifient selon leur aptitude à se développer dans certaines conditions écologiques. Les héliophiles font, par exemple, de la pleine lumière une exigence, tandis que les ombrophiles ne sont à l'aise qu'à la lumière tamisée des sous-bois et sous les surplombs des falaises. Ces groupes écologiques, comme plusieurs autres, rassemblent un grand nombre de plantes et soulèvent pour cette raison moins d'engouement de la part des botanistes. Ces derniers leur préfèrent des groupes plus rares et recherchent davantage les calcicoles qui s'épanouissent sur les substrats basiques.

Or, la Minganie est un pays de choix pour les calcicoles, car elle compte plusieurs habitats propices à leur installation. Le littoral supérieur, la falaise, la lande et la tourbière minérotrophe se partagent ainsi un total de 57 plantes vasculaires caractéristiques des milieux calcaires. Plusieurs calcicoles, comme il a été mentionné précédemment, sont rares au Québec. D'autres, comme les saxifrages, ont une distribution arctique-alpine. La saxifrage à feuilles opposées et la saxifrage aïzoon présentent de surcroît un trait physiologique intéressant, excrétant l'excès de carbonate de calcium contenu dans leurs feuilles par de petits pores (photo n° 75). La plupart des calcicoles sont par ailleurs fort jolies et les photos n°s 80 à 85 ne permettent d'apprécier que quelques-unes des plus colorées.

31
Répartition géographique nord-
américaine d'une espèce halophyti-
que présente dans l'archipel de Mingan: la mertensie maritime (Selon
Hultén, 1968, et Riley et McKay,
1980).

Un jardin d'halophytes

Pour les botanistes, les halophytes (du grec *halos*: sel, et *phyte*: plante)
constituent un groupe de plantes tout aussi intéressant que celui des calcicoles.
Capables de résister aux fortes salinités de l'eau de mer, elles n'hésitent pas
à s'installer sur les rivages maritimes, contribuant ainsi à leur donner couleur
et vie. Selon leur répartition, elles se subdivisent en 2 catégories: les halophytes
vraies, restreintes au milieu salé et limitées aux côtes (fig. 31); les halophytes
facultatives, débordant cette distribution pour s'aventurer dans d'autres habitats.

Dans l'archipel, on dénombre 23 halophytes vraies et 13 halophytes facultatives réparties, évidemment, dans les habitats les plus fortement influencés
par la mer, soit le marais salé et le littoral supérieur. La liste des plus abondantes apparaît à la fin du volume. Certaines d'entre elles, par leur forme
ou leur couleur, attirent forcément le regard (photos nos 86 à 89). Ainsi, dans
quelques baies, ce sont les grosses fleurs jaunes du séneçon faux-arnica qui
ressortent davantage, tandis qu'ailleurs c'est le contraste entre le turquoise
de la mertensie maritime et le fond gris des graviers qui étonne. En bordure
des marais salés, c'est la salicorne d'Europe qui éveille le plus la curiosité,
par sa morphologie très spéciale. Rôtie par le soleil, submergée périodiquement par l'eau salée, cette plante sait conserver presque miraculeusement
toute sa fraîcheur.

Les espèces introduites, ces grandes voyageuses

Comme leur nom le suggère, les plantes introduites n'appartiennent pas au cortège floristique indigène d'une région. Quittant leur contrée d'origine, ces espèces ont migré, suivant l'homme pas à pas dans ses déplacements. Celui-ci, en prenant possession des terres boisées, leur a involontairement procuré un milieu favorable, bâtissant, cultivant ou aménageant routes et chemins de fer. Aptes à se reproduire très rapidement, ces plantes s'en sont donné à coeur joie dans ces nouveaux habitats, au point même de gêner les cultures ou la flore indigène. À ce sujet, Marie-Victorin rapporte que l'Indien d'Amérique, remarquant très tôt l'un de ces éléments introduits, le plantain majeur, le surnomma à juste titre: le pied du Blanc.

Ces plantes nous viennent d'un peu partout, mais principalement de l'Europe et de l'Asie. C'est le cas de plusieurs espèces qui nous sont très familières, telles que la marguerite, le pissenlit, la petite oseille et le plantain majeur. Certaines, comme la matricaire odorante et, semble-t-il, le fameux chardon de la Minganie, proviennent de l'ouest canadien. Enfin, les moins nombreuses sont originaires de l'Amérique du Sud.

Bien que les villages côtiers adjacents aux îles de Mingan ne soient fréquentés que depuis une centaine d'années par des bateaux étrangers, ce laps de temps a été suffisant pour permettre l'implantation de plusieurs plantes nouvelles. Certaines d'entre elles se sont installées au même moment sur les îles, vraisemblablement par l'intermédiaire des gens qui les fréquentaient. Jusqu'à maintenant, près de 35 espèces végétales ont été introduites dans l'archipel. On les trouve surtout à proximité des chalets et sur le littoral, où elles recouvrent de petites superficies. L'île aux Perroquets et la Petite île au Marteau sont évidemment des lieux de prédilection pour leur propagation, compte tenu de l'activité humaine qui y règne depuis l'installation des phares. Plusieurs espèces se sont même installées le long des chemins réalisés à l'été 1977 sur La Grande Île, en vue d'éventuels sondages miniers. À l'exception du laiteron des champs, qui est occasionnel sur le littoral (photo n° 90), les plantes introduites demeurent plutôt rares dans l'archipel, conservant à la flore minganienne tout son cachet naturel.

5.
Le littoral marin

Le littoral marin constitue un milieu très particulier, le lieu de rendez-vous de la terre avec la mer et la lumière. Dans l'archipel, il s'identifie à la frange calcaire touchée par les embruns, conquise périodiquement par la mer ou constamment submergée. Ce domaine hostile à l'installation des plantes vasculaires se fait l'hôte d'algues diverses et de plusieurs invertébrés aux allures les plus bizarres. Façonné au gré d'une érosion capricieuse, ce monde est enchanteur, invitant et tout indiqué pour se familiariser avec l'écologie des organismes marins. À la manière des plantes terrestres, on les observe répartis en bandes distinctes, plus ou moins développées selon les conditions du milieu. Les relations entre ces organismes se révèlent de plus fort complexes, comme le suggère la chaîne alimentaire illustrée dans ce chapitre; leur étude n'en est que plus captivante.

« Roulant sur ton rivage
La vague vient de loin
En apportant du large
Des débris de destin »

Roland Jomphe,
« Île Niapisca ».

Subdivisions du littoral

Pour faciliter la description et l'étendue du littoral marin, les biologistes le subdivisent en 3 grands étages (fig. 32). Le premier, le littoral supérieur, se situe au-delà du niveau atteint par les pleines mers moyennes. Il effectue la transition vers les habitats terrestres et ne subit l'influence que des embruns et des inondations exceptionnelles. Comme nous l'avons vu précédemment, c'est dans cette zone et plus particulièrement dans les baies que s'installent un grand nombre de plantes vasculaires, notamment plusieurs halophytes. Les substrats rocheux atteints à ce niveau par les embruns sont plus hostiles à toute forme de vie; on y retrouve tout au plus un lichen crustacé de couleur noire (*Verrucaria* sp.) et une algue verte, très petite, du genre *Prasiola*, première manifestation de la flore marine de l'archipel. Dans la zone de balancement des marées, appelée littoral moyen, les plantes vasculaires disparaissent complètement pour faire place sur les substrats rocheux aux fucales brunes, aux moules bleues ainsi qu'aux petites balanes blanches. C'est la zone du littoral marin la plus facile d'accès. Puis, commence le littoral inférieur avec sa frange de longues laminaires. Constamment submergé, il se prolonge jusqu'à la limite des algues sciaphyles (qui aiment l'ombre des profondeurs) et constitue le domaine méconnu des oursins verts, des anémones, de plusieurs coquillages et des étoiles de mer.

Les algues: une exubérance de formes et de couleurs

Ce sont surtout les algues qui donnent de la coloration au littoral marin des îles de Mingan (photo n° 91). Désignées sous le nom de « goémon » ou « varech », elles étaient autrefois utilisées, à juste raison, comme engrais à jardin par les gens de Havre-Saint-Pierre. Aujourd'hui l'anse à Goémon localisée à la périphérie de l'île du Havre remémore par son nom cet usage.

Les algues présentent des coloris variés et c'est en partie sur la base de leur pigmentation qu'on les classifie. Les algues brunes, souvent olivâtres, sont les plus abondantes et regroupent des spécimens de grandes tailles comme les fucales et les laminaires. Les algues vertes, de teinte claire, sont généralement plus délicates, et on doit à certaines espèces très petites le revêtement verdâtre si glissant de plusieurs roches du littoral moyen. Ces algues s'avancent très peu dans le monde sous-marin des invertébrés puisqu'elles sont activement broutées. Ce sont les algues rouges qui prennent alors la relève. La majorité n'apparaissent en effet qu'au début du littoral inférieur et s'y aventurent fort loin grâce à leur composition pigmentaire qui facilite l'absorption des longueurs d'onde bleu-vert pénétrant davantage dans la mer. Outre ce déploiement de couleurs, les algues exhibent une multitude d'aspects, allant de l'organisme unicellulaire aux formes filamenteuses, ruba-

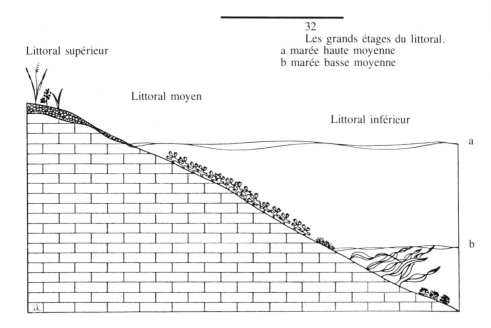

32
Les grands étages du littoral.
a marée haute moyenne
b marée basse moyenne

Littoral supérieur

Littoral moyen

Littoral inférieur

nées, foliacées ou ramifiées des espèces plus apparentes. Au cours d'un séjour dans l'archipel, il vaut donc vraiment la peine d'examiner cette végétation marine, ne serait-ce que pour en apprécier la beauté et la complexité.

Les algues montrent aussi des exigences écologiques bien précises. Quelques-unes acceptent des périodes d'exondation plus ou moins prolongées pendant que d'autres, cantonnées dans la mer, n'en tolèrent aucune. Certaines requièrent un fort éclairage, et d'autres abhorrent la lumière et se réfugient en profondeur ou à l'ombre des rochers. La position des algues par rapport aux vents dominants est aussi un facteur très important à considérer, puisque les conditions régnant dans les sites battus diffèrent grandement de celles rencontrées dans les milieux abrités. Certaines espèces ne se développent ainsi qu'aux endroits relativement calmes. Comme les algues puisent leurs sels minéraux à même la mer, elles sont indifférentes à la composition chimique de leur substrat; elles sont par contre dépendantes de sa nature physique. Ainsi, elles manifestent une préférence marquée à l'égard des platiers, des parois rocheuses et des blocs de grande taille, dédaignant les substrats instables. Les graviers et les sables, régulièrement retournés par l'action des vagues, sont en effet inaptes à fixer toute végétation macroscopique. Quant aux substrats vaseux, ils ne retiennent qu'une flore très petite ou microscopique, verdissant parfois le sol de façon manifeste. Soulignons enfin qu'il n'est pas rare de rencontrer des algues croissant sur d'autres algues, qualifiées pour cette raison d'épiphytes.

Tout un monde à découvrir à marée basse

C'est à marée basse qu'il faut découvrir le littoral moyen pour s'initier à la diversité de sa flore et de sa faune. L'étendue de cette zone soumise au flux et au reflux des marées varie constamment selon la pente du terrain et atteint dans la partie sud des îles plus de 100 m de longueur. Les organismes qu'on y trouve doivent d'une part tolérer une période d'émergence relativement longue et, d'autre part, s'ancrer solidement au substrat pour résister à l'action des vagues. Ils présentent à cet égard des adaptations très intéressantes.

Au premier coup d'oeil ce sont les fucales qui ressortent, contribuant à donner une coloration brunâtre particulière à de nombreux platiers. Ces algues aux ramifications dichotomiques sont souvent munies de réceptacles gonflés, véritables petits flotteurs qui éclatent bruyamment sous le poids des marcheurs (photo n° 92). Elles résistent particulièrement bien à la dessication et peuvent perdre, selon les espèces, jusqu'à 90% de leur eau sans en être aucunement affectées. Comme bon nombre d'algues brunes macroscopiques, les fucales sont vivaces. Au début du printemps, elles sont tellement endommagées, par suite de l'action abrasive des glaces, qu'elles laissent alors faussement croire qu'elles viennent tout juste de s'implanter.

Dans l'archipel, 5 espèces de *Fucus* se développent sur le littoral. Les 4 plus abondantes s'identifient très facilement. Pour ceux qui veulent s'amuser à les observer de près, voici donc quelques caractéristiques servant à les reconnaître. La plus petite espèce est le *Fucus spiralis*, la pionnière des hauts niveaux et la seule à posséder des réceptacles ornés d'une ligne de suture (fig. 33). Plus robuste, le *Fucus vesiculosus* est plus largement distribué. Comme son nom le mentionne, il se différencie par la présence d'une ou plusieurs paires de vésicules sur ses lames. Cette espèce ressemble beaucoup au *Fucus edentatus* dépourvu, celui-là, de vésicules et surmonté de réceptacles beaucoup plus allongés, en forme de doigts. Enfin, l'espèce la plus grosse, *Fucus evanescens*, fréquente uniquement les milieux abrités (lagune, baie) et possède des réceptacles aplatis un peu moins évidents. Cette fucale s'associe très souvent à l'*Ascophyllum* (*nodosum*), une algue très commune et apparentée au *Fucus*, mais plus grêle et parsemée de nombreuses vésicules (photo n° 93). À ces 2 espèces typiques des lieux abrités s'ajoutent enfin les long filaments brun foncé du *Chorda* (*filum*).

Les platiers renferment par ailleurs de multiples cuvettes aux formes et aux dimensions variées. Ces microhabitats qui occupent parfois de vastes étendues offrent des conditions écologiques rigoureuses, variant souvent d'un extrême à l'autre. Ainsi, au cours des chaudes journées d'été, l'eau des cuvettes se réchauffe considérablement tandis qu'elle se refroidit en deçà de la température de l'eau de mer lors des froidures automnales. Le taux de salinité de

33

Les principaux *Fucus* de l'archipel de Mingan.

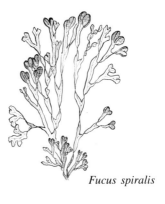

Fucus spiralis

Fucus vesiculosus

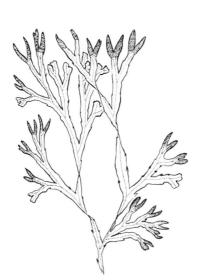

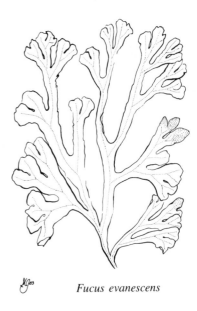

Fucus evanescens

Fucus edentatus

l'eau subit également des écarts importants soit à la suite de la dilution causée par de gros orages, soit en raison de la concentration des sels due à l'évaporation. Par conséquent, on retrouve généralement dans ces cuvettes des algues très tolérantes.

La plupart des algues vertes typiques des cuvettes sont constituées de filaments minuscules et sont pour cette raison difficiles à identifier. L'*Enteromorpha* (*intestinalis*) fait cependant exception à cette règle puisqu'il est formé de longs filaments creux, fixés entre les fissures des roches. Toutefois, il est beaucoup plus aisé d'aborder certaines algues brunes qui, filamenteuses elles aussi, sont plus grosses et présentent des formes bien caractéristiques (fig. 34). Le *Scytosiphon* (*lomentaria*) n'est, par exemple, qu'un simple tube beige de la taille d'une paille, ponctué de nombreux étranglements. Le *Chordaria* (*flagelliformis*) et le *Dictyosiphon* (*foeniculaceus*) rappellent plutôt des chevelures sombres et se distinguent par leur mode de ramification: simple chez *Chordaria*, celui-ci se complexifie chez *Dictyosiphon*. Avec un peu de chance on peut également découvrir dans certaines cuvettes localisées près du niveau des basses mers une petite algue rouge coralline de forme arborescente. Il s'agit de *Corallina* (*officinalis*), une espèce peu abondante mais néanmoins remarquable par son allure mi-algue, mi-corail (fig. 34).

À proximité de la zone constamment immergée, s'établit habituellement une zonation bien tranchée (photo n° 94). Les petites touffes denses du *Spongomorpha* (*arcta*) forment une première bande verte, suivie d'une autre dominée par *Halosaccion* (*ramentaceum*). La portion supérieure des filaments de cette algue rouge est souvent blanchie, la couleur n'apparaissant qu'à la base de son thalle.

Quelques invertébrés ajoutent enfin à la diversité de cette zone. On ne peut manquer sur les platiers les petites balanes blanches hérissées (*Balanus* spp.) et cimentées à la roche. Ces minuscules crustacés sont au repos à marée basse. En conservant un peu d'eau salée dans leur carapace hermétiquement close, ils se protègent contre la dessiccation ou contre l'eau douce des précipitations. Indélogeables, ils attendent le retour de la mer pour propulser, hors de leur carapace, leurs fins appendices ciliés servant à capter le plancton. Les moules bleues (*Mytilus edulis*) abondent également et peuvent parfois recouvrir le substrat d'un tapis dense et continu (fig. 36). Elles s'agrippent solidement à la roche en sécrétant par un faisceau de petits filaments nommé byssus. Immobiles, elles filtrent sur place le phytoplancton. Bien que ces moules soient comestibles, les gens de Havre-Saint-Pierre les dédaignent à cause de leur petite taille et du sable qu'elles contiennent. Enfin, un autre mollusque comestible et commun sur les roches du littoral est la littorine (*Littorina* spp.), un petit coquillage spiralé qui broute les algues de taille réduite à l'aide d'une langue munie de minuscules dents chitineuses. Ce petit gastéropode rampe sur le ventre et se déplace très lentement. À marée basse, il

34

Quelques algues brunes (b) et rouges (r) présentes dans l'archipel de Mingan.

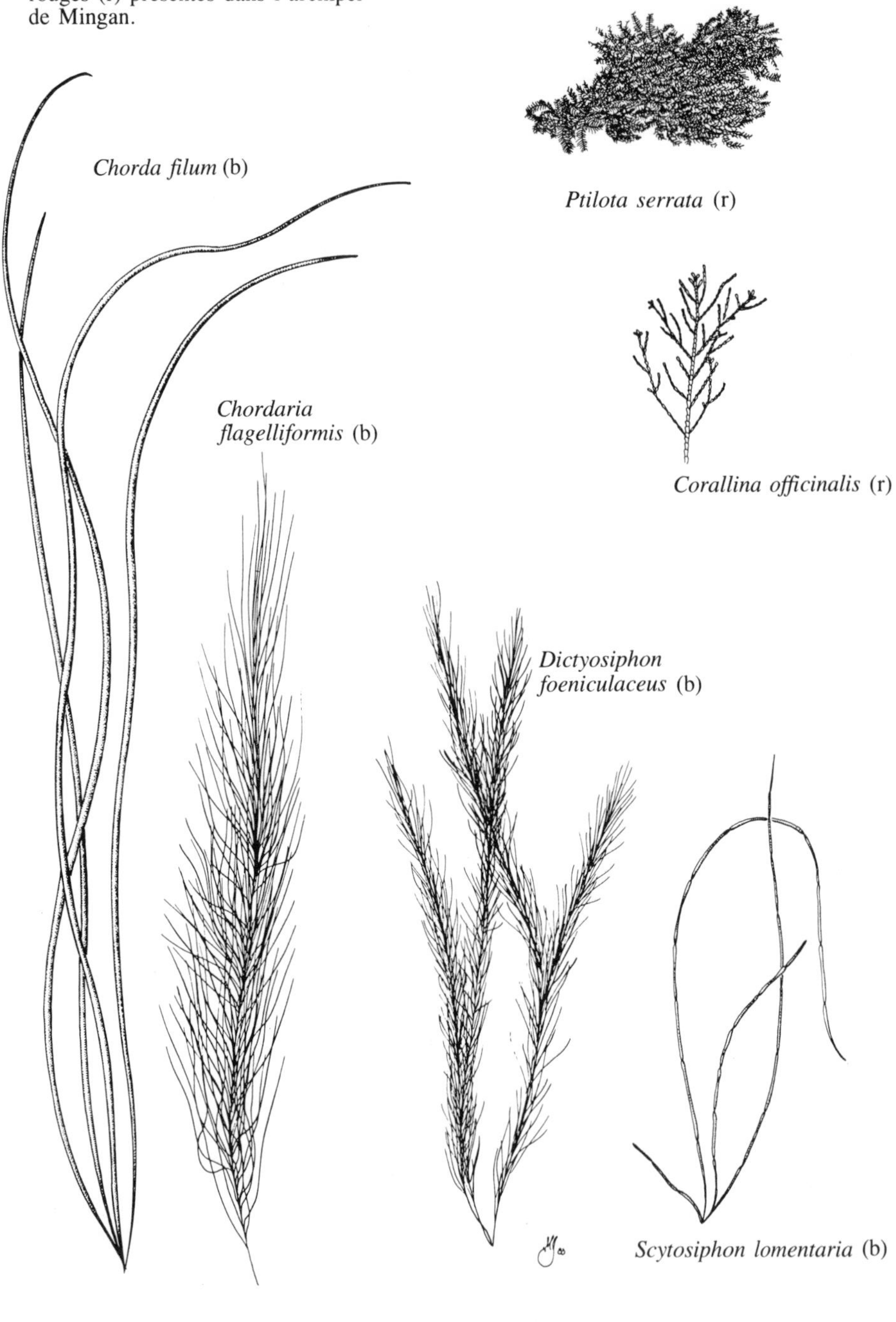

Chorda filum (b)

Ptilota serrata (r)

Chordaria flagelliformis (b)

Corallina officinalis (r)

Dictyosiphon foeniculaceus (b)

Scytosiphon lomentaria (b)

se rétracte complètement dans sa coquille qu'il referme au moyen d'une petite plaque cornée, nommée opercule; comme les autres invertébrés de cette zone, il sauvegarde ainsi l'humidité dont il a besoin.

La richesse des paysages sous-marins

Les dépressions et les petits gradins jouxtant la limite des basses mers constituent des fenêtres ouvertes sur le monde intrigant du littoral inférieur. On y découvre le balancement gracieux des longues laminaires, le contraste des moules bleues sur le fond rose des algues encroûtantes et bien d'autres éléments qui présagent une grande richesse de formes et de couleurs (dessin en annexe). De la même façon, la curiosité s'éveille devant les cadavres dispersés d'oursins, de coquillages et d'algues volumineuses (photo n° 95). Immanquablement, ces éléments font naître des interrogations sur la physionomie des paysages sous-marins et sur le mode de vie de leurs différents hôtes (photo n° 96).

En Minganie ces paysages sont loin d'être homogènes. L'inclinaison des pentes et la nature du substrat varient d'une station à l'autre. Étant donné l'orientation des cuestas de l'archipel, les pentes abruptes se rencontrent surtout dans les parties nord, est et ouest des îles, alors que la partie sud se caractérise par la présence de platiers faiblement inclinés. L'abondance du matériel meuble apparaît pour sa part conditionnée par l'exposition aux vagues et aux vents du large. Ce matériel est par conséquent plus abondant dans la partie nord des îles qui est relativement abritée. Ces différents facteurs influencent beaucoup la répartition des organismes benthiques (vivant sur les fonds marins) et s'unissent pour composer différents milieux.

Les platiers, ces vastes prairies sous-marines

« La transparence des eaux laisse voir sans obstacle l'épanouissement généreux des limbes des Laminaires, véritables prairies sous-marines, au-dessus desquelles glissent les globes contractiles des Méduses. »

Marie-Victorin, Flore de l'Anticosti – Minganie.

Exposés au vent du large, les platiers, situés surtout dans la partie sud des îles, s'étirent en pente douce loin dans la mer. Leur surface rocheuse, qui favorisait sur le littoral moyen l'implantation des fucales, est envahie dans la zone inondée en permanence par de nouvelles espèces (dessin en annexe). Ce sont les longues laminaires qui ouvrent le cortège pour se déployer, gracieuses, sur une distance d'environ 15 m. Ces longues algues brunes appartiennent principalement à 4 espèces que l'on peut différencier sans peine. L'*Alaria (esculenta)* est très abondante et se caractérise par la présence d'une grosse nervure centrale; elle porte à sa base de petites lames spécialisées pour la reproduction (sporophylles). Les véritables laminaires *(Laminaria)* sont au contraire sans nervure et se fixent à leur substrat par un stipe cylindrique. La lame est simple chez *Laminaria saccharina* et digitée chez *Laminaria digitata*. Ces 3 espèces sont vivaces et leur lame s'accroît continuellement par la base, tandis que le sommet s'érode petit à petit. La quatrième espèce, *Saccorhiza (dermatodea)*, se distingue par un stipe aplati et la surface poilue de sa lame (chez les jeunes individus). Contrairement aux autres espèces, cette laminaire est annuelle et doit se régénérer complètement à chaque saison.

En sous-étage de cet herbier marin se développe à l'occasion une petite algue verte, *Ulvaria (obscura)*, simulant les feuilles d'une laitue frisée. Sur les roches s'étalent des algues rouges corallines et encroûtantes, les unes lisses (*Clathromorphum* spp.), les autres mamelonnées (*Lithothamnium* spp.) (photo nº 97). Ces algues singulières assimilent le calcium dissous dans la mer pour l'incorporer à leurs tissus. Elles forment ainsi une croûte sur les roches et peuvent atteindre des profondeurs excédant 30 m. Les épaves blanchies des *Lithothamnium* garnissent sporadiquement les dépôts de plage et sont surnommées les « bijoux de l'archipel », en raison de leur forme apparentée à celle d'un petit corail. Sous la croûte de ces algues corallines se camoufle régulièrement un petit bivalve sédentaire, le saxicave arctique *(Hiatella arctica)* (fig. 36). Bien protégé contre ses prédateurs, il projette un siphon à l'extérieur de l'algue encroûtante pour se nourrir de plancton et creuse à la longue de petites cavités dans la roche. Toujours dans cette grande zone de laminaires, s'installent plus à vue des moules bleues ainsi que deux petits brouteurs d'algues: le chiton (*Tonicella* spp.) et la patelle (*Acmaea testudinalis*). Le chiton est un mollusque primitif, au corps aplati, ovale et protégé par une série de 8 plaques se chevauchant. Lorsqu'il est arraché de son substrat, il s'enroule rapidement sur lui-même pour se protéger. Bien qu'accolée étroitement à la roche, la patelle, véritable petit chapeau chinois, semble capable de se déplacer rapidement à l'approche de ses prédateurs (fig. 36).

Plus profondément, l'apparition sporadique d'oursins verts *(Strongylocentrotus drobachiensis)* constitue un indice que la zone des longues algues brunes se termine bientôt (photo nº 98). Au fur et à mesure que les colonies d'oursins augmentent, les algues disparaissent pour faire place à un front d'oursins menaçant. Ces organismes, considérés comme les brouteurs d'algues par excellence, jouent un rôle important dans l'établissement de la limite inférieure des laminaires. Cette limite est parfois très abrupte, comme l'illustre la photographie aérienne d'une section de l'île Niapiskau (photo nº 99). Cette abondance n'est évidemment pas pour peiner l'amateur de fruits de mer qui saura se régaler des gonades orangées ou jaunes de cet organisme. Il faut cependant être très rapide pour recueillir les oursins vivants, car lorsqu'ils se sentent menacés, ils sécrètent un mucus qui leur permet d'adhérer solidement à la roche.

L'oursin gruge les algues au moyen de 5 dents aiguës, mobiles et rassemblées dans un petit orifice circulaire. Curieusement, il montre des préférences marquées envers certaines espèces. Alors qu'il raffole des laminaires et de l'*Halosaccion*, il délaisse volontiers l'*Agarum (cribrosum)*, une grande algue brune qui doit son nom aux larges perforations distribuées sur toute sa lame. Ce dégoût des oursins pour cette espèce semble dû à la présence de substances chimiques secondaires. En dépit de leur tissu calcifié, les algues corallines font également partie du menu de l'oursin. Leur broutage est long et modéré, mais permet, semble-t-il, d'assimiler le calcium nécessaire à la construction de leur enveloppe calcaire.

Le taux de broutage varie au cours de la saison en relation avec le cycle biologique de l'espèce. Vers le début d'avril, soit après la période de ponte des oursins, la consommation d'algues connaît une hausse significative avant de décroître graduellement au cours de l'été et de l'automne pour atteindre une valeur minimale durant les mois les plus froids de l'hiver. Cette diminution correspond à la longue période de développement des gonades qui commence en été pour se poursuivre l'automne et se terminer à la fin de l'hiver.

Pour atteindre leur proie, les oursins avancent en fixant tour à tour sur le fond marin leurs podias, de longs tubes rétractiles terminés en ventouses. De cette façon, ils sont capables de parcourir jusqu'à 5 cm en 1 min. Par temps calme ils s'attaquent parfois à de longues laminaires. Ils se regroupent alors, couchent l'algue au sol et la broutent complètement, négligeant parfois d'assimiler son stipe. Les oursins se déplacent également lorsqu'ils cherchent à éviter les lames des grandes algues brunes agitées par les vagues. Les mers tumultueuses d'automne, d'hiver et de printemps obligent ainsi les oursins à descendre plus profondément. Cette retraite, couplée à un taux de consommation moindre au cours des mois de l'hiver, permet heureusement aux laminaires de se régénérer quelque peu. C'est d'ailleurs au cours de cette saison qu'elles connaissent leur plus grande expansion.

Dans la zone d'oursins se camoufle dans les cavités du platier l'ophiure épineuse *(Ophiopholis aculeata)*, une étoile de mer d'aspect grêle, formée d'un petit disque central entouré de 5 longs bras hérissés. Bien abrité, cet invertébré se nourrit de petits organismes (zooplancton) qu'il intercepte à l'aide de ses bras très souples. Ici et là apparaissent quelques étoiles de mer. En raison de leur forme esthétique, c'est toujours une joie de les découvrir échouées sur le rivage. On sera certainement surpris d'apprendre qu'il en existe dans l'archipel 6 espèces communes. Pour le profane, la plus familière, avec ses 5 bras, est l'étoile de mer vulgaire *(Asterias vulgaris)*. Dans la zone d'oursins elle se nourrit d'ophiures épineuses à la façon singulière des étoiles de mer. Avec ses bras elle immobilise la proie convoitée, puis glisse à l'extérieur de son corps son estomac qu'elle applique contre la malheureuse victime pour la digérer (photo n° 104).

35
La falaise sous-marine.

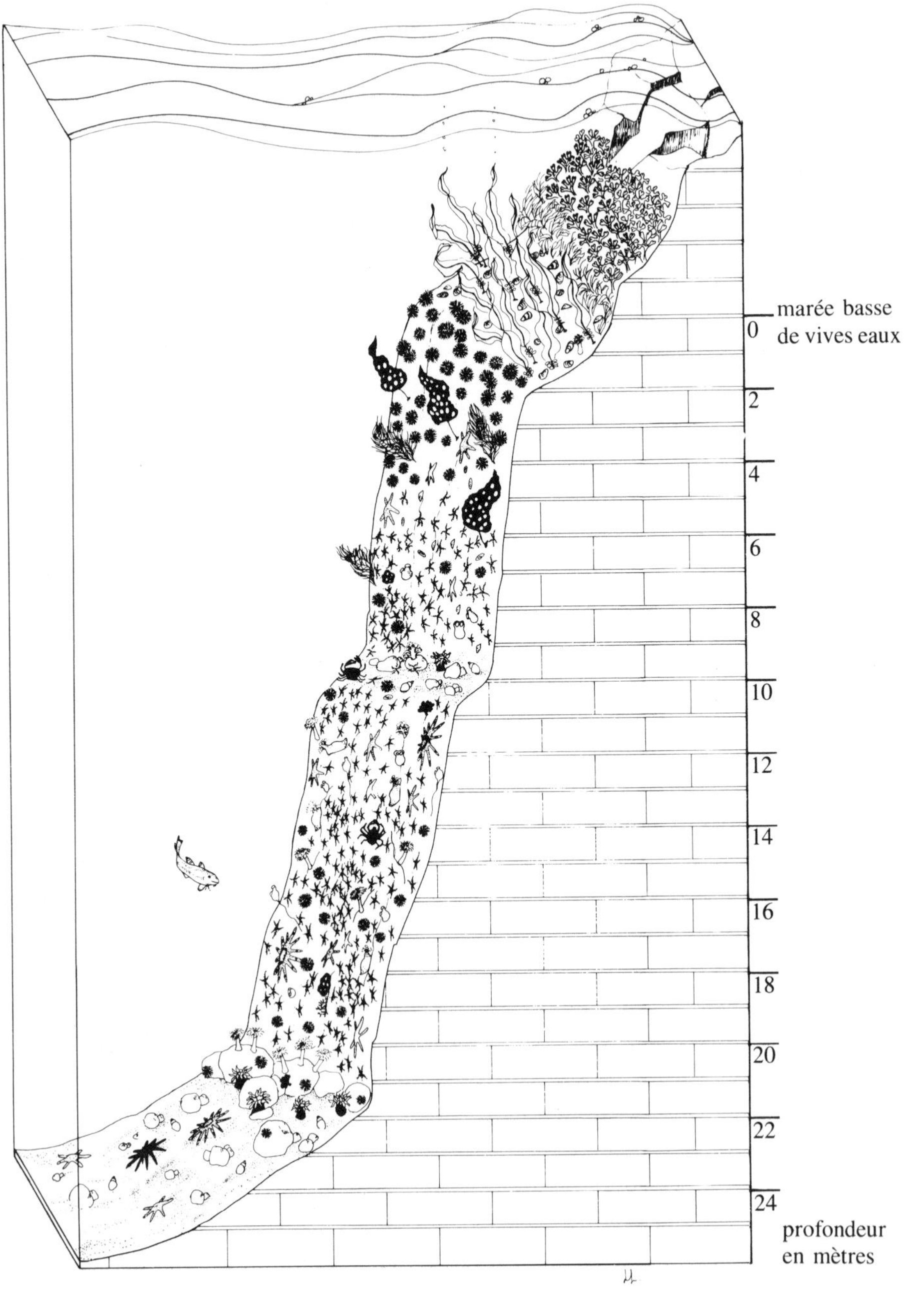

marée basse
de vives eaux

0

2

4

6

8

10

12

14

16

18

20

22

24

profondeur
en mètres

	Fucus			étoile de mer à six bras
	Spongomorpha			étoile vulgaire
	Halosaccion			étoile annelée
	Alaria			étoile pourpre
				ophiure épineuse
	Saccorhiza			concombre de mer
				psolus écarlate
	Laminaria digitata			buccin commun
				gersémie rubiforme
	Agarum			pêche de mer
	Desmarestia			bolténie sur pied
	éponge			anémone chevelue
	Turnerella			anémone rouge du nord
	moule bleue			ascidie
	patelle			bryozoaire ramifié
	chiton			crabe araignée
	oursin vert			crabe tourteau

Au fur et à mesure que l'on descend vers des eaux plus profondes, le nombre d'oursins diminue. Ils sont plus petits, probablement en raison d'une moins grande disponibilité de nourriture. Les algues brunes délaissées par ces organismes voraces caractérisent, pour un temps donné, le paysage sous-marin: *Agarum (cribrosum)* forme de petits îlots et *Desmarestia (viridis)*, des touffes dispersées d'environ 50 cm de hauteur. Par sa structure filamenteuse délicate, cette dernière espèce s'agite au moindre courant et se préserve ainsi contre les oursins. L'ophiure épineuse occupe encore plusieurs cavités, alors que l'étoile de mer vulgaire devient de moins en moins fréquente.

Plus loin, les algues brunes disparaissent au profit des algues rouges, seules capables d'exercer à cette profondeur leur activité photosynthétique. Si un jour vous retrouvez sur le rivage les débris d'une algue rouge rappelant les feuilles d'une petite fougère très disséquée, il s'agira probablement de *Ptilota (serrata)*, une espèce abondante à ces profondeurs et côtoyée à l'occasion par les lames plus uniformes de *Turnerella (pennyi)*.

De nouveaux invertébrés s'additionnent dans cette zone, tels le concombre de mer *(Cucumaria frondosa)*, un filtreur qui porte bien son nom, et le buccin commun *(Buccinum undatum)*, réputé pour être un mangeur de bivalves (photos nos 100 et 101). Mieux connu sous le nom inexact de «bigorneau», le buccin est comestible. Dans l'archipel, plusieurs personnes l'apprécient et installent dans les endroits propices des cages appâtées avec les restes de différents poissons. Fait intéressant, ce mollusque a la particularité d'envelopper ses oeufs dans de petites cases semi-transparentes, soudées en un amas de forme irrégulière (photo n° 102). Entraînés par les vagues, les amas de cases désaffectées échouent parfois sur les plages et suscitent bien des interrogations quant à leur provenance.

À une profondeur habituellement inférieure à 18 m, le roc se recouvre de cailloux et de matériel meuble. Dans cette zone obscure, les organismes marins sont beaucoup plus dispersés. Ce milieu constitue le repaire de 2 nouvelles étoiles de mer: l'étoile annelée *(Crossaster papposus)* et l'étoile pourpre *(Solaster endeca)* occupant le sommet de la chaîne alimentaire des invertébrés (fig. 37 et photos nos 103 et 105). À la faveur du substrat meuble, s'installe finalement le ver en ombrelle. Enfoui dans les sédiments, il déploie à l'extérieur ses tentacules membraneuses tel un parapluie inversé lui permettant de filtrer divers microorganismes.

Les falaises sous-marines: le royaume des ophiures

À l'instar des falaises terrestres, les falaises sous-marines impressionnent par leur muraille abrupte. Dans l'archipel elles s'identifient aux parois des chenaux profonds séparant les îles et sont, de par leur orientation, des sites moyennement exposés. En général, la partie supérieure des falaises sous-marines porte une frange étroite de laminaires. Celles-ci n'atteignent que

36

Quelques coquillages de l'archipel de Mingan.

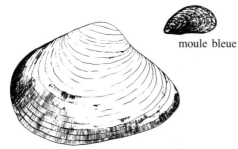

mactre d'Amérique

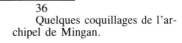

moule bleue

coque du Groenland

mye commune

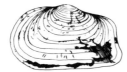

mye tronquée

coque d'Islande

couteau droit

pétoncle
d'Islande

saxicave
arctique

pied-de-
pélican

patelle

littorine

buccin commun

oursin plat

JG83

quelques mètres de profondeur puisqu'elles sont activement broutées par les oursins qui n'ont qu'une courte distance à parcourir pour les capturer (fig. 35). La limite entre le front d'oursins et la zone des grandes algues brunes est d'ailleurs très abrupte alors qu'elle était graduelle sur les platiers, là où les algues prenaient beaucoup plus d'expansion. De la même façon, l'incursion des moules bleues en profondeur est freinée par l'étoile de mer à six bras *(Leptasterias polaris)*, un prédateur peu friand d'oursins mais très avide de mollusques (fig. 37).

La bande d'oursins, bien que dense, comprend quelques éléments supplémentaires, notamment des patelles, quelques lames d'*Agarum* et des touffes éparses de *Desmarestia*. Par la suite, ce sont les ophiures qui prennent la vedette occupant les moindres cavités de la paroi; leur densité est énorme, atteignant parfois jusqu'à 200 individus/m^2. Sur les replats ou les plans convexes, surgissent de nouveaux filtreurs, dont 3 espèces apparentées: la pêche de mer *(Halocynthia pyriformis)*, véritable petit sac de cornemuse, les ascidies, semblables à de petites urnes, et la bolténie sur pied *(Boltenia ovifera)*, fixée sur les plans convexes des parois. Ces étranges organismes sédentaires sont enveloppés d'une tunique cellulosique (ce sont des tuniciers) transpercée de 2 orifices: l'un pour aspirer l'eau et l'autre pour la rejeter (photos n°s 106 et 107).

La falaise réserve également d'autres surprises. On y découvre avec ravissement l'anémone chevelue *(Metridium senile)*, coiffée d'une multitude de fines tentacules blanches (photo n° 108). Malgré leur aspect soyeux, ces tentacules sont loin d'être inoffensives. Elles portent des cellules spécialisées appelées cnidocystes qui renferment un petit filament urticant, enroulé sur lui-même. Lorsque ces cellules sont stimulées, les filaments sont projetés avec force à l'extérieur, adhèrent à leur proie ou la pénètrent, et libèrent des poisons capables d'immobiliser cette dernière en quelques secondes. Fort heureusement, ces poisons ne sont pas dangereux pour l'homme!

Les anémones ne constituent pas les seuls invertébrés équipés de cette batterie urticante, trait distinctif des Cnidaries. Contre la paroi, se développe aussi un corail mou, la gersémie rubiforme *(Gersemia rubiformis)* de couleur rose à rougeâtre. Soulignons que les méduses (soleil de mer, *jelleyfish)* présentes en Minganie, bien que non comprises dans ces communautés benthiques, appartiennent aussi à cet embranchement des invertébrés (photo n° 109).

Un autre filtreur sédentaire au rouge très vif s'installe régulièrement sur les murailles sous-marines. Il s'agit du psolus écarlate *(Psolus fabricii)* similaire par sa forme au concombre de mer. En dépit de la pente inclinée des parois, cette espèce adhère au substrat par une de ses faces aplatie. La bouche du psolus écarlate, située à l'une des extrémités de son corps, est entourée d'une couronne de 10 tentacules très ramifiées, ayant pour rôle de capter le zooplancton dont le psolus se gave. Enfin, à travers tous ces filtreurs circulent librement quelques étoiles de mer ainsi que deux petits crabes: le crabe commun *(Hyas araneus)* et le crabe des roches *(Cancer irroratus)*.

Enfin, au bas des parois verticales s'accumulent de grosses roches sur lesquelles se fixent quelques anémones rouges du Nord *(Tealia felina)*. Cette anémone aux tentacules robustes est une opportuniste qui occupe une position stratégique lui permettant de se nourrir fort convenablement des oursins tombant de la falaise (photo n° 110).

Sur les fonds de cailloux, de sable et de vase: les oursins plats et les bivalves

À l'encontre des platiers et des falaises sous-marines, plusieurs sites présentent un substrat meuble constitué de gravier, de sable ou de vase. De façon générale ce matériel meuble s'accumule dans les parties les plus abritées, notamment le nord des îles, ou encore dans la portion inférieure des talus de pente moyenne orientés est et ouest. Ce nouveau substrat limite la répartition de plusieurs organismes, dont celle des algues macroscopiques et corallines, qui se font rares dans ces zones. Certains invertébrés rencontrés sur les platiers et les falaises réussissent néanmoins à coloniser les blocs dispersés. Les blocs de taille moyenne sont ainsi occupés par des pêches de mer, des bolténies sur pied et des gersémies. Les plus gros accueillent quelques anémones chevelues, des ophiures épineuses, des psolus écarlates, de grosses éponges digitées *(Haliclona oculata*, photo n° 111), ainsi que plusieurs buccins communs occupés à emmailloter leurs oeufs dans de petites cases.

Si la présence de sédiments fins gêne l'installation de nombreux filtreurs, elle favorise par contre l'implantation de nouvelles espèces. Sur les cailloux et le sable déambule un crustacé curieux, à demi enfoui dans une coquille plus ou moins bien adaptée à son corps. C'est le bernard-l'ermite *(Pagarus* spp.) qui, en raison de la fragilité de son abdomen, doit s'ajuster une carapace accessoire, en l'occurrence celle des littorines ou des buccins communs. Le pétoncle d'Islande, très apprécié des gourmets, fréquente lui aussi les fonds cailouteux. En ouvrant et fermant ses 2 valves à la manière d'un soufflet, il se déplace et évite ainsi ses prédateurs; seul le muscle contrôlant ce mouvement est prélevé pour la consommation humaine.

Dans le sable se cache maintenant l'oursin plat appelé dans la région « galette de mer ». Lorsqu'il est vivant, il est pourpre et recouvert de courtes épines, physionomie qui contraste beaucoup avec le cadavre blanchi et lisse généralement échoué sur le littoral (fig. 36 et photo n° 101). Moins gourmand que son homologue l'oursin vert, l'oursin plat se contente de débris organiques. Bien qu'il se camoufle assez bien sur les fonds marins, il n'échappe pas à son prédateur principal, l'étoile de mer annelée.

Les fonds marins vaseux recèlent à leur tour un cortège faunique tout aussi particulier. C'est le domaine des pélécypodes (bivalves), nom signi-

37

Qui mange qui?

▬ Phénomène observé dans l'archipel

── Information provenant de la documentation existante

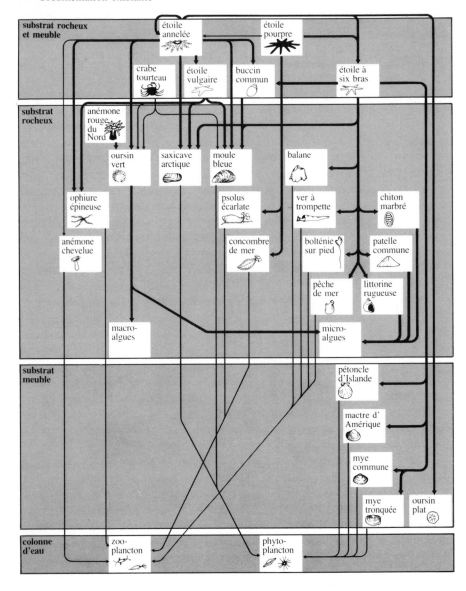

fiant pied en forme de hache (du grec *pelekus*: hache, et *podos*: pied). Ce pied musculeux permet à l'animal de s'enfoncer assez rapidement dans le sable ou la vase; il s'étire tout d'abord, pénètre dans le substrat meuble, puis se contracte, entraînant avec lui l'organisme tout entier. Les pélécypodes, enfouis de façon quasi permanente, restent en contact avec l'eau de mer grâce à un siphon allongé, situé à l'extrémité opposée de leur pied. Ce siphon se compose de 2 tubes: un premier qui aspire l'eau et le plancton, et un second qui rejette cette eau chargée des déchets métaboliques.

En cherchant bien, le visiteur pourra peut-être découvrir sur le rivage les coquilles d'un ou plusieurs pélécypodes de l'archipel: coque d'Islande *(Clinocardium ciliatum)*, coque du Groenland *(Serripes groenlandicus)*, mactre d'Amérique *(Spisula solidissima)*, couteau droit *(Ensis directus)*, mye tronquée *(Mya truncata)* et mye commune *(Mya arenaria)*, mieux connue dans la région sous le nom de «coque» (fig. 36). Lorsque les gens de la région «vont aux coques», ils se rendent rarement à la périphérie des îles, là où les fonds vaseux sont relativement profonds. Ils préfèrent les baies de la côte où les dépôts fins sont accessibles au temps des basses marées qui surviennent deux fois par mois, soit aux marées de nouvelle et de pleine lune (marées de vives eaux).

En Minganie, les baies les plus fréquentées font face à l'île Saint-Charles et à l'île à la Chasse. Les initiés détectent aisément la présence des myes cachées dans la boue, par les trous que laissent les siphons en se rétractant lorsque la mer se retire. Trois conserveries de «coques» étaient autrefois (vers 1945) en opération sur l'île Saint-Charles. La digue à Tanguay, la digue de l'Est et l'anse de Saint-Charles abritaient ces conserveries, qui s'alimentaient des «coques» récoltées sur les platiers de l'île et sur la côte. Chaque année, les conserveries commençaient à fonctionner dès le mois de mai pour cesser toute activité au mois d'octobre. La diminution des colonies de «coques» ainsi qu'un mauvais marché auraient été les causes principales de la fermeture de ces conserveries.

Pour le plongeur ces bivalves présentent peu d'intérêt, car ils sont difficiles à repérer. Ce dernier décèle plutôt sur les fonds vaseux un gastéropode ressemblant au buccin commun, mais plus étroit et plus petit: le pied-de-pélican *(Aporrhais occidentalis)*. À une profondeur excédant 15 m, il découvre également une ophiure grisâtre, l'ophiure des vases *(Ophiura sarsi)* aux bras beaucoup moins tordus et plus gros que ceux de l'ophiure épineuse. L'étoile de mer à six bras semble par ailleurs être le prédateur le plus à l'aise dans ce milieu (photos nos 112 et 113). C'est là que des individus géants atteignant jusqu'à 45 cm de diamètre ont été aperçus. Enfin, à des profondeurs excédant 30 m, circulent sur les fonds de vase 2 crustacés activement recherchés par les pêcheurs, le crabe des neiges et la crevette.

Et le homard en Minganie?

Quiconque s'intéresse aux crustacés pourra se demander pourquoi le homard, alors qu'il est présent autour de l'île d'Anticosti, est pratiquement absent dans l'archipel. Cela apparaît d'autant plus curieux que le crabe des neiges, un autre crustacé, abonde dans la région. Ce phénomène s'explique semble-t-il par les exigences thermiques de la larve du homard.

Cette larve pélagique (qui circule librement dans la mer) se nourrit de plancton et requiert 60 jours à 10°C pour atteindre la maturité. Si les températures de l'eau sont plus chaudes, son développement est plus rapide. Si les températures sont plus froides, celui-ci est ralenti. Or, les eaux de l'archipel apparaissent beaucoup trop froides pour permettre aux larves du homard de croître normalement. Elles sont dans ces conditions non viables, ce qui empêche le homard de se reproduire dans la région. Toutefois, il est possible de retrouver exceptionnellement quelques individus de cette espèce. Il s'agirait alors de homards migrateurs qui proviendraient de l'île d'Anticosti où l'eau se réchauffe un peu plus au cours de l'été en raison d'un brassage vertical des eaux beaucoup moins intense que celui qui se produit, comme nous le verrons, dans l'archipel.

6.
La mer

Limpides, teintées d'émeraude, les eaux dans lesquelles baigne l'archipel de Mingan fascinent, qu'elles soient calmes ou tumultueuses. Froides et salées, elles font corps avec les eaux d'un vaste bassin, le golfe du Saint-Laurent délimité au nord par le détroit de Belle-Isle, à l'est par le détroit de Cabot, au sud par le détroit de Northumberland et à l'ouest par une ligne réunissant Pointe-des-Monts et Cap-Chat. C'est dans la partie nord du golfe que surgit, tel un navire géant, l'île d'Anticosti, pendant que la minuscule guirlande des îles de Mingan s'étire de part et d'autre de Havre-Saint-Pierre. Cet habitat immense et en apparence désert foisonne de vie. Il regorge de plancton invisible à l'oeil nu, de poissons aux allures diverses et abrite plusieurs mammifères marins. Petit ou grand, chaque organisme a son importance et occupe une place déterminée dans cet écosystème, celui que le poète Roland Jomphe aime nommer son «Université des Grands Fonds».

« *Les mers, les golfes, les océans: l'eau salée*
　　Trois fois plus d'eau que de terre
Et parmi toutes ces gouttes
Unité de la rivière, unité de l'océan
　　Où est la goutte plus utile
　　Où est la goutte plus importante
La profondeur, la surface
La vague qui brise
Le fond qui se cache
Le profond qui nous grise
　　Où est la goutte plus importante
　　Celle qu'on voit ou ne voit pas »

Roland Jomphe,
« En regardant ».

Un monde vivant, un monde en mouvement

Contrairement à ce qu'on pourrait penser, les eaux du golfe ne forment pas un mélange homogène, mais se révèlent physiquement stratifiées. En été, on reconnaît habituellement 3 couches d'eau distinctes: la couche superficielle peu dense, la couche intermédiaire glaciale et la couche profonde très salée. La couche superficielle possède une épaisseur d'environ 20 m, une température typique de 12° à 14°C (jusqu'à 18°C en certains endroits) et une salinité variant de 29 à 32°/oo. La couche intermédiaire pénètre jusqu'à une profondeur d'environ 150 m; sa température se situe autour de −1° à 0°C et sa salinité, entre 32 et 33°/oo. La couche profonde s'étend de 150 m jusqu'au fond et se caractérise par des températures maximales de 4 à 6°C et des salinités supérieures à 33°/oo. En hiver, les couches superficielle et intermédiaire se fondent en une seule, la première se refroidissant au contact de l'atmosphère glaciale jusqu'à des températures voisines de celles de la couche sous-jacente. Les forts vents accompagnant les tempêtes d'automne et d'hiver assurent alors le mélange complet de ces 2 couches. Ce phénomène influence fortement, comme nous le verrons, la productivité biologique.

Dans la couche superficielle, pénétrée par les rayons lumineux, se déploie toute une gamme d'organismes microscopiques, ballottés passivement par les courants marins. Désignés sous le terme général de plancton, (du grec *plagktos*: errant), ces organismes se subdivisent en 2 grands groupes: le phytoplancton, principalement composé de diatomées et de dinoflagellés, ainsi que le zooplancton, incluant des protozoaires, différents types de larve et de petits crustacés (copépodes et euphausides). Parmi ces organismes, c'est le phytoplancton qui tient lieu de producteur primaire. À la façon des plantes terrestres ou des algues benthiques, il puise dans le milieu ambiant les éléments minéraux dont il a besoin et utilise directement l'énergie solaire pour fixer le gaz carbonique de l'atmosphère afin de produire différents sucres. Premier maillon dans la chaîne alimentaire, le phytoplancton est brouté par le zooplancton. Celui-ci devient à son tour la proie de divers invertébrés des fonds marins et organismes pélagiques, dont plusieurs espèces de poissons et quelques mammifères marins.

Une productivité saisonnière

La capacité de support biologique d'un milieu marin dépend essentiellement de sa production primaire. Les facteurs limitant cette production sont principalement la lumière, la température de l'eau et la quantité d'éléments nutritifs disponibles. Dans le golfe du Saint-Laurent, la production phytoplanctonique est saisonnière et connaît un pic remarquable au printemps. Les raisons de ce pullulement sont bien simples; les glaces viennent de disparaître,

38
Zones où les courants de marée sont suffisamment forts pour entraîner un mélange des couches d'eau superficielle et profonde *(selon Pingree et Griffiths, 1980)*.

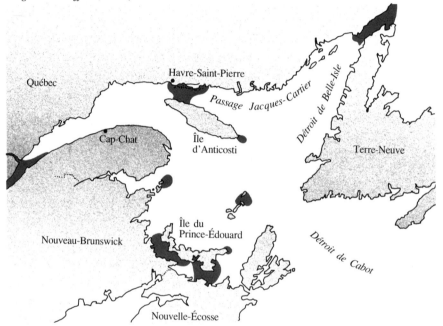

les éléments nutritifs vitaux pour les cellules (sels azotés, phosphates et silicates) abondent et les eaux se réchauffent, retenant le phytoplancton dans la couche superficielle de la mer, là où les conditions de lumière sont favorables à la photosynthèse. Cette période de haute productivité entraîne cependant un épuisement rapide des éléments nutritifs inorganiques en surface; il en résulte un ralentissement de la croissance du phytoplancton. Comme ces sels proviennent principalement des déchets azotés excrétés par les organismes marins ou encore de la décomposition de leur cadavre, ils s'accumulent dans les couches profondes de la mer et ne sont pratiquement pas remis en circulation au cours de l'été, compte tenu de la stabilité de la colonne d'eau. Pour cette raison, le phytoplancton n'a plus qu'un faible taux de productivité, malgré la luminosité adéquate des mois d'été. La couche d'eau superficielle ne s'enrichit à nouveau qu'avec l'agitation des mers d'automne et d'hiver.

Cependant, cette chute d'éléments nutritifs ne constitue pas un facteur limitatif majeur pour tout le golfe du Saint-Laurent en raison de la position avantageuse de ce dernier. Mer intérieure reliée à l'océan Atlantique, vaste estuaire déchargeant fleuve et rivières, il est au coeur d'une circulation complexe d'eau douce et d'eau salée. Ces déplacements favorisent à l'occasion la remontée en surface *(upwelling)* des eaux profondes et riches, ce qui a pour effet de réactiver la croissance du phytoplancton. Là où se produit ce mélange, les températures de l'eau en surface demeurent assez froides au cours de l'été. De tels endroits existent à l'embouchure du Saguenay, dans le détroit de Belle-Isle, dans le détroit de Northumberland et à l'extrémité ouest du passage Jacques-Cartier, qui inclut l'archipel de Mingan (fig. 38).

Des eaux riches même en été

Comparativement à l'ensemble du golfe, le côté nord du passage Jacques-Cartier est peu profond. Ainsi à l'intérieur des îles de Mingan, l'épaisseur d'eau excède rarement 60 m à l'exception de 2 sites; le premier, réputé pour la capture du crabe des neiges, se localise à l'est de l'île Nue de Mingan, alors que le second s'insère entre l'île à Bouleaux de Terre et La Grande Île. Ces profondeurs relativement faibles, agissant comme butoir, ainsi que le rétrécissement du passage Jacques-Cartier entre l'île d'Anticosti et la Côte-Nord accélèrent les courants de marée et favorisent une remontée des eaux profondes vers la surface. Un modèle numérique, développé afin de déterminer l'effet des courants de marées sur la stratification des eaux dans le golfe du Saint-Laurent, prédit effectivement la présence d'une zone de mélange des eaux dans cette région (fig. 38). L'abondance d'éléments nutritifs au cours de la saison estivale et la production primaire exceptionnelle dans la partie ouest du passage Jacques-Cartier corroborent les prédictions de ce modèle (Pingree et Griffiths, 1980).

De façon locale les rivières de la Côte-Nord influencent aussi la dynamique des masses d'eau. À l'embouchure des rivières, l'eau douce s'écoule au-dessus des eaux plus denses du golfe et, à l'interface entre les 2 couches, de complexes phénomènes de friction et de turbulence en assurent le mélange. L'eau profonde est entraînée vers la surface, pour se fondre de plus en plus avec l'eau douce au fur et à mesure que celle-ci est poussée vers le large. Ces mouvements assurent à la couche de surface un apport additionnel en éléments nutritifs, stimulant de ce fait la production biologique. Dans la région de l'archipel de Mingan, les rivières Romaine et Saint-Jean contribuent à enrichir, dans une faible proportion cependant, les eaux côtières. Une grande partie du chenal de Mingan est ainsi affectée dans un rayon variable de 5 à 10 km par l'épanchement d'eau douce de la Romaine. On a noté dans la région influencée par cette rivière de fortes teneurs en sels minéraux et des concentrations relativement élevées de chlorophylle (Marsan et ass., 1981 et 1982).

Les conséquences écologiques de ce mélange vertical sont très importantes. Les écosystèmes marins où se produisent ces échanges sont presque toujours des sites d'importante production biologique, car l'apport d'éléments nutritifs aux eaux superficielles stimule de façon significative la production primaire. Cette augmentation active la croissance du zooplancton, brouteur de phytoplancton. La grande quantité de zooplancton, servant de nourriture à de nombreux organismes marins, explique à son tour l'existence d'importantes pêcheries ainsi que la présence de nombreux mammifères marins le long de la Côte-Nord.

Un secteur relativement poissonneux

« Des Baleines, des Flétans
Des Morues, des Harengs
Toutes espèces de vie
C'est creux, C'est mouvant
C'est profond, C'est vivant »
Roland Jomphe, « l'Université des Grands Fonds ».

À l'opposé des organismes planctoniques qui se laissent dériver passivement par les courants, les poissons circulent librement dans la mer. Bien que plusieurs espèces sillonnent les eaux de l'archipel, certaines sont susceptibles d'être rencontrées plus fréquemment que d'autres. La plus populaire, parce que la plus pêchée, est sans contredit la morue franche, facile à reconnaître à sa taille robuste et à ses barbillons mentonniers (photo n° 114). Selon des cycles saisonniers commandés par les réserves de nourriture, les températures de l'eau et l'époque du frai, les morues se déplacent suivant des patrons réguliers. Les individus pêchés dans le secteur de l'archipel proviennent du banc de Terre-Neuve. Ce banc migre vers l'intérieur du golfe au printemps, en longeant la Côte-Nord. À cette époque, les morues se reproduisent à grande profondeur. Les oeufs produits montent à la surface et flottent à la dérive pour éclore de 2 à 4 semaines après la ponte. Les larves se nourrissent alors de plancton jusqu'à ce qu'elles atteignent le stade de jeune poisson. Par la suite, les jeunes morues amorcent une descente vers les profondeurs où elles vivront entre 20 et 30 ans.

Pour pêcher la morue, qui engloutit indifféremment crabes, crevettes et mollusques, nul besoin d'un équipement bien élaboré: une chaloupe pour se rendre aux sites les plus propices et un « jigger ». Dans la tranquillité du matin, rien n'est plus pittoresque que d'observer au large des îles, se détachant à contre-jour (ou contre-mer), de fragiles silhouettes affairées dans leur barque de bois à balancer leur ligne. La chair fraîche de morue est succulente, comme l'est aussi son foie gorgé d'une huile très renommée pour sa richesse en vitamine D.

Toutefois, la pêche n'est pas toujours heureuse, et au lieu de la morue convoitée, le pêcheur retrouve de temps à autre, accroché à son hameçon, le chaboisseau (photo n° 115). Surnommé le « crapaud de mer » à cause de son air repoussant, ce poisson épineux, muni de nageoires pectorales en éventail, est très commun dans les eaux de l'archipel. Passablement vorace, il s'attaque à toutes les amorces. Bien que sa chair soit comestible, il est habituellement rejeté avec dédain par les pêcheurs; c'est sans doute pourquoi son cadavre jonche ici et là le rivage.

Vers la mi-juin, les plages de la Minganie se transforment et accueillent une multitude de petits poissons beaucoup plus attrayants que le chaboisseau. À cette époque, plusieurs anses se parent en effet d'une étroite lisière argentée, formée par une accumulation de petits capelans. Année après année, le même rituel se répète. Au printemps, lorsque la température de l'eau se réchauffe, le capelan, qui ne vit que 2 à 3 ans, se rapproche des côtes pour frayer. À marée haute, les femelles accompagnées d'un ou 2 mâles déposent leurs oeufs gluants sur les plages de sable dans le brisant des vagues. Plusieurs capelans épuisés ou au terme de leur vie sont alors rejetés sur la grève où ils meurent et sont recueillis par les gens des villages côtiers qui s'en délectent ou les utilisent comme appât pour la pêche. La période du frai passée, les capelans survivants retournent au large, les femelles et les mâles circulant dans des bancs différents. En raison de leur petite taille, ils consomment essentiellement du zooplancton et représentent un maillon important dans la chaîne alimentaire puisqu'ils servent de nourriture aux plus gros poissons ainsi qu'à plusieurs oiseaux et mammifères marins (photo n° 116).

Sous cet aspect, le lançon et le hareng jouent exactement le même rôle. Le lançon, connu également sous le nom « d'anguille de sable », est un poisson d'une quinzaine de centimètres, très mince, au rostre effilé, aimant se camoufler à marée basse parmi les algues ou encore s'enfoncer dans le sable. C'est d'ailleurs dans ce substrat que la femelle pond ses oeufs vers la fin de l'été. Comme les lançons nagent près de la surface, il est facile de les apercevoir à travers l'eau, à la faveur de quelques baies abritées. Cet usage leur vaut cependant d'être une proie facile pour les oiseaux marins. Même si le lançon est recherché comme mets raffiné en Europe, peu de gens songent à l'utiliser dans nos régions.

La situation est cependant tout à fait différente pour le hareng, grandement apprécié pour sa haute valeur nutritive. Ce dernier est facile à capturer et fait l'objet d'un commerce très important. Prolifique et grégaire, le hareng se rencontre partout dans le golfe et forme plusieurs populations dont les déplacements sont encore mal connus. Certaines d'entre elles fraient, par exemple, au printemps en eau peu profonde, alors que pour d'autres ce moment intervient à l'automne au large des côtes.

D'autres espèces commerciales importantes circulent dans les eaux de la Minganie. Parmi elles se distingue, par sa teinte vive, le sébaste doré (photo nᵒ 117). Cette espèce appartient à une famille dont les représentants se retrouvent essentiellement dans les eaux tropicales; c'est d'ailleurs ces régions chaudes qu'évoque de prime abord sa couleur orangée.

Quant au flétan et à la plie, elles surprennent surtout par leur forme aplatie et leurs yeux placés du même côté du corps. Le flétan, considéré comme le géant des poissons plats, vit sur les fonds de sable ou de gravier et fréquente les eaux relativement profondes. Dans l'archipel, la pêche au flétan se fait surtout dans le secteur compris entre La Grande Île et l'île Nue de Mingan. La capture record a été réalisée vers 1940 par les gens de Longue-Pointe; il s'agissait d'un flétan d'une longueur de 3 m et pesant près de 210 kg. Enfin, il est parfois possible de faire lever dans certaines lagunes, comme celle de l'île Saint-Charles, de jeunes plies enfouies dans les sédiments fins. Les petites plies se développent en effet dans des eaux peu profondes qu'elles quittent au fur et à mesure qu'elles vieillissent.

Les phoques: de petits groupes dispersés

« J'ai vu le loup-marin
Chez toi dormir tranquille
À l'aube du matin
Dans le temps difficile »
Roland Jomphe, « Île Niapisca ».

Au cours d'un séjour en Minganie, tout visiteur attentif aura sans aucun doute le plaisir de voir pointer hors de l'eau la petite tête arrondie d'un phoque à l'allure espiègle (photo nᵒ 118). Croyant tout d'abord apercevoir un objet à la dérive, l'observateur changera d'opinion en voyant celui-ci rentrer et sortir de l'eau tour à tour. À l'occasion, cet animal apparaît curieux et n'hésite pas à surgir près des embarcations en mouvement.

Le phoque est un mammifère amphibie qui tire son oxygène de l'atmosphère et sa nourriture de la mer. Son corps est particulièrement bien adapté à ce mode de vie semi-aquatique; ses membres sont courts et palmés (trait distinctif de l'ordre des Pinnipèdes), son corps fusiforme est isolé par une épaisse couche de graisse et ses narines sont munies de valvules qui se referment sous l'eau. Trois espèces fréquentent le secteur de l'archipel de Mingan au cours de l'année. Il s'agit du phoque gris (tête de cheval), du phoque commun (loup-marin d'esprit) et du phoque du Groenland, le migrateur le plus hâtif dans les eaux du golfe. Il est probable que l'on puisse également rencontrer dans les parages, au cours des mois de février et mars, le phoque à capuchon, lequel suit d'assez près les déplacements du phoque du Groenland.

Le **phoque du Groenland** adulte est de couleur crème. Il possède une tête noire ainsi qu'une grande plaque sombre en forme de harpe sur le dos.

Comme son nom français le suggère, ce phoque passe l'été dans l'Arctique. Dès septembre, il commence à migrer vers le sud, poussé par la banquise qui se consolide. Les étapes de son itinéraire dans le golfe du Saint-Laurent sont à peu près les suivantes: le détroit de Belle-Isle vers la mi-décembre, l'embouchure du Saguenay en janvier, puis remontée vers le golfe en février. C'est au cours de ses déplacements hivernaux qu'il est donc possible de l'apercevoir dans les eaux de l'archipel de Mingan.

En février, la majorité des phoques du Groenland se rassemblent aux Îles-de-la-Madeleine, bien que de petits groupes isolés soient présents près de l'île d'Anticosti et dans l'archipel de Mingan. Vers la troisième semaine de février, ils montent sur les glaces pour la mise bas. À la naissance, les jeunes sont particulièrement beaux alors qu'ils sont recouverts d'un pelage blanc, d'où leur surnom de « blanchons ». Après l'allaitement, qui dure de 2 à 3 semaines, les femelles attendues par les mâles abandonnent leur unique petit et retournent à l'eau pour l'accouplement. Après quelques semaines, les adultes envahissent à nouveau la banquise. Ceux-là, tout comme les jeunes, changent alors de pelage avant d'entreprendre, à compter du mois de mai, leur long périple vers les îles arctiques. Certains individus aiment toutefois s'attarder et prolongent leur séjour sur la Basse Côte-Nord jusqu'en juin.

La chasse aux phoques du Groenland est permise tout l'hiver. Au cours des migrations, quelques milliers d'adultes sont tués chaque année le long de la Côte-Nord. Lors de la période de mise bas, on abat également un grand nombre de « blanchons », pratique fortement contestée ces dernières années.

Si les déplacements annuels du phoque du Groenland sont passablement bien connus, ceux du **phoque gris** et du **phoque commun** le sont beaucoup moins. Dans le golfe du Saint-Laurent, ces espèces semblent former des populations quasi sédentaires, ces dernières ne quittant ce vaste plan d'eau que lors de son engel. Le phoque gris et le phoque commun diffèrent sous plusieurs aspects. Ainsi, le phoque gris est-il deux fois plus gros que le phoque commun. Outre sa taille imposante, il possède les traits distinctifs suivants: un pelage noir tacheté de gris chez le mâle, un pelage gris orné de points sombres chez la femelle ainsi qu'un museau relativement long et large qui a inspiré son nom vernaculaire « tête de cheval » (photo n° 118). La femelle donne naissance à ses petits tôt en janvier. Après l'allaitement, elle s'accouple sans même quitter la banquise.

Les aires de mise bas et d'accouplement restent à préciser. Les Îles-de-la-Madeleine et l'île au Sable, située au sud de la Nouvelle-Écosse, constituent les sites les mieux connus. Il est fort probable que quelques individus choisissent occasionnellement l'île d'Anticosti et l'archipel de Mingan pour ces activités. Depuis 10 à 15 ans, le nombre de phoque gris semble avoir décuplé dans le golfe du Saint-Laurent, sans que l'on sache vraiment pourquoi. La population actuelle est évaluée à plus de 100 000 individus et elle pourrait même continuer à prendre de l'expansion, puisque son seul véritable prédateur, l'épaulard, est plutôt rare dans la région. Le phoque gris est abondant dans l'archipel au cours de l'été et se rencontre fréquemment en périphérie de La Grande Île, des îles La Grosse Romaine et La Petite Romaine, de l'île Nue de Mingan ou des petites îles de l'ouest de l'archipel.

La chasse au phoque gris est interdite seulement du 1er janvier au 28 février, soit au cours de la période de mise bas. En dehors de cette période, une prime est offerte en échange des mâchoires, qui servent à déterminer l'âge de l'animal et son état de santé. Cet usage est aussi l'outil d'une meilleure connaissance des déplacements de l'espèce et a pour but secondaire de limiter les dégâts causés par les phoques aux engins de pêche et de contrôler la prolifération du ver parasite de la morue, lequel trouve chez le phoque gris un hôte ultime. La chair des animaux abattus (surtout les jeunes) est comestible et souvent mise en conserve localement, alors que la peau est utilisée de différentes façons par les Amérindiens.

Le phoque commun, beaucoup plus petit que le phoque gris, circule également dans l'archipel au cours de l'été. Gris et tacheté de noir, il se distingue surtout de ce dernier par son museau court et son petit nez triangulaire. La période de mise bas et d'accouplement chez cette espèce est tardive, puisqu'elle se produit au cours des mois de mai et juin. Les naissances ont donc lieu sur terre et l'accouplement se fait habituellement sous l'eau. Sitôt né, le petit de couleur argenté accompagne sa mère à l'eau. La femelle se montre alors pleine d'égards envers lui. Les gens de la région, décelant dans son comportement une intention judicieuse de cacher son bébé, ont surnommé cette espèce le « loup-marin d'esprit ». Les lieux où se déroulent ces activités dans le golfe du Saint-Laurent sont encore indéterminés. On croit que certains secteurs de l'île d'Anticosti et des îles de Mingan (notamment la partie ouest) seraient utilisés pour ces fins. Soulignons enfin que cette espèce est la seule à s'aventurer en eau douce et que sa chasse est interdite depuis environ 6 ans.

Le nom ancien de quelques îles (Petite île à la Vache Marine, Grande île à la Vache Marine) remémore la présence dans l'archipel du **morse**, un autre membre de l'ordre des Pinnipèdes. Lors de la fondation de Havre-Saint-Pierre plusieurs ossements furent en effet retrouvés à cet emplacement. On sait, par ailleurs, que le morse abondait autrefois dans le secteur des Îles-de-la-Madeleine. Intensivement chassé, il a complètement disparu de ces régions et se cantonne aujourd'hui dans l'Arctique.

À la fois célèbres et mal connus: les cétacés

L'appartenance des cétacés à la grande classe des mammifères n'apparaît pas, de prime abord, évidente. Leur épiderme lisse, leurs membres antérieurs aplatis en forme de nageoire, leur queue bien étalée et leur mode de vie strictement aquatique les rapprochent en effet beaucoup des poissons. Toutefois, certains traits les relient sans équivoque aux mammifères. Parmi les plus évidents, soulignons que les cétacés sont des animaux à sang chaud, vivipares, dotés de glandes mammaires pour allaiter leur petit.

Selon la présence de dents ou de fanons, on reconnaît 2 groupes de cétacés. De façon générale, les espèces les moins volumineuses se classent dans le groupe des cétacés à dents dont les membres les plus connus sont les dauphins, les marsouins et l'épaulard. Ces espèces mangent surtout des poissons et des calmars, à l'exception de l'épaulard qui ajoute parfois à son menu quelques phoques ou autres cétacés. Chez le second groupe, de longues plaques cornées, appelées fanons, remplacent les dents. Fixés au palais en rangées parallèles de chaque côté de la bouche, ces fanons, effilochés vers l'intérieur, sont présents chez les rorquals et les baleines. Quand elles se nourrissent, ces espèces, aux dimensions parfois fort impressionnantes, ouvrent la gueule, engloutissent indifféremment eau de mer, euphausides (crustacés planctoniques) et petits poissons, puis la referment en expulsant l'eau à travers leurs fanons, retenant ainsi une grande quantité d'organismes. Au XIXe siècle, les fanons de baleine servaient de matériel de base dans la confection de nombreux objets. En raison de leur flexibilité, ils servaient, entre autres, à faire l'armature des corsets et des parapluies. Aujourd'hui, ce matériel est remplacé avantageusement par des lames d'acier ou de plastique qui ont conservé leur nom d'origine: baleines.

Visiteurs de passage dans le golfe du Saint-Laurent

Les cétacés sont assez bien représentés dans la partie ouest du passage Jacques-Cartier identifiée, rappelons-le, comme une zone de haute productivité biologique. En effet, 10 espèces différentes ont été aperçues ces dernières années dans ce secteur, dont 7 dans les eaux de l'archipel de Mingan (tabl. 4). Évidemment, ces mammifères ne séjournent pas en ces lieux toute l'année. Contraints de faire surface pour respirer, ils quittent forcément le golfe avant son engel quasi complet. Les trajets entrepris par la suite sont peu connus. De janvier à mars on croit qu'un bon nombre migrent plus au sud, au large de la côte est de l'Atlantique. Le rorqual à bosse descendrait pour sa part aussi loin que dans les eaux des Caraïbes, soit à 3 000 km au sud du golfe du Saint-Laurent. Pour cette espèce, les biologistes possèdent plusieurs exemples dont « Splash », aperçu près de Puerto Rico le 28 janvier 1980 et revu le 16 septembre de la même année au nord-ouest de l'île d'Anticosti. Ce rorqual à bosse a pu être reconnu par la coloration noire et blanche de la surface ventrale de sa queue, le patron de coloration étant particulier à chaque individu (photos n°s 125 et 126). Cette particularité est précieuse pour les chercheurs, qui peuvent ainsi accumuler des informations sur les trajets migratoires, les habitudes sociales, l'importance de la population, la repro-

Tableau 4
Importance des cétacés dans le golfe du Saint-Laurent, dans le passage
Jacques-Cartier et dans l'archipel de Mingan

	Golfe du Saint-Laurent	Passage Jacques-Cartier	Archipel de Mingan
Cétacés à fanons			
Rorqual bleu	Entre 50 et 100 individus	Abondant (23 individus ont été identifiés)	Absent
Rorqual commun	Environ 350 individus	Très abondant	Occasionnel
Rorqual à bosse	Entre 3 000 et 4 000 individus dans le golfe et le nord-ouest de l'Atlantique	Occasionnel (4 individus ont été identifiés)	Absent
Petit rorqual	Population inconnue	Très abondant	Abondant (9 individus ont été identifiés)
Baleine noire	Entre 200 et 300 individus dans le golfe et le nord-ouest de l'Atlantique	Rare (seulement 4 observations depuis 1976, entre Sept-Îles et l'archipel de Mingan)	Absent
Cétacés à dents			
Dauphin à flancs blancs	Au moins 1 000 à 2 000 individus	Occasionnel	Occasionnel
Dauphin à nez blanc	Au moins 1 000 à 2 000 individus	Occasionnel	Occasionnel
Marsouin commun	Population inconnue	Très abondant	Abondant (principalement dans la partie ouest)
Globicéphale noir	Environ 50 000 individus dans le golfe, le long de la côte du Labrador et dans la région de Terre-Neuve	Occasionnel	Occasionnel
Épaulard	Population inconnue	Rare	Rare

duction et l'âge des rorquals. Grâce à cet outil, on estime aujourd'hui entre 3 000 et 4 000 individus la population de rorquals à bosse dans le nord-ouest de l'Atlantique.

C'est au cours de leur séjour dans les eaux plus tempérées que les rorquals et baleines mettent bas et s'accouplent. Comme la période de gestation dure pour plusieurs espèces de 10 à 12 mois, les femelles fécondées dans un premier hiver mettent bas au cours de l'hiver suivant. Les femelles ont un petit tous les 2 ou 3 ans. Le passage pour le baleineau du ventre de sa mère au milieu marin constitue un changement d'environnement remarquable. La couche de graisse du nouveau-né semble plutôt mince et peu isolante, d'où l'avantage de naître dans des eaux tempérées. Durant la période d'allaitement, qui dure de 7 à 8 mois, la croissance du baleineau est très rapide, comparativement à celle de l'humain. Ce qui la favorise, c'est la richesse du lait maternel qui contient 50 % de matière grasse, soit environ 5 fois plus que le lait humain. L'exemple du rorqual bleu fait ressortir ce gain de poids impressionnant. À la naissance, le baleineau mesure de 7 à 8 m de longueur et pèse près de 2 700 kg. À la fin de la période d'allaitement, il a grandi d'une dizaine de mètres et son poids a presque décuplé, ce qui représente un gain quotidien d'environ 4 cm en longueur et 90 kg en poids. Avec un tel rythme de croissance, il n'est pas surprenant que le rorqual bleu soit le plus gros mammifère ayant existé sur la terre! Enfin, on croit que les cétacés adultes se nourrissent très peu pendant la période d'allaitement et d'accouplement. Ils vivent alors des réserves de graisse accumulées dans leur organisme au cours de l'été.

Dès la fin de février ou le début de mars, les jeunes sont aptes à entreprendre les migrations vers le nord, pour aller se gaver dans des eaux plus riches. Bien que chaudes, les mers tropicales sont assez pauvres, car leur stratification presque permanente ne stimule guère la productivité biologique. Le rorqual bleu, avide d'euphausides, sera ainsi une des premières espèces à atteindre nos latitudes.

Ayant passé la côte est de l'Atlantique, plusieurs individus poursuivent leur route vers le Groenland. D'autres s'attardent autour de Terre-Neuve alors qu'un certain nombre pénètrent dans les eaux du Saint-Laurent. Les cétacés trop pressés d'envahir les eaux du golfe se font parfois jouer de mauvais tours par les glaces. Coincés entre la côte et la banquise à la dérive, certains sont poussés malencontreusement sur le rivage. Des individus échoués de cette façon ont été observés assez régulièrement au cours des 5 derniers printemps dans la région de Port-au-Basque, située à l'extrémité sud-ouest de Terre-Neuve. C'est aussi à cette période de l'année que les dauphins, les marsouins et les globicéphales commencent à apparaître dans le golfe du Saint-

Tableau 5
Brève description des cétacés fréquentant l'Anticosti-Minganie

	Lon-geur moyen-ne (m)	Hauteur du jet d'eau (m)	Traits distinctifs de l'espèce	Traits distinctifs des individus d'une même espèce
Cétacés à fanons				
Rorqual bleu	21-25	9	Tête plate, triangulaire et arrondie à l'extrémité. Peau bleue ardoise tachetée de gris ou de blanc. Très petite nageoire dorsale comparativement à la grosseur de l'animal.	Pigmentation de la peau. Configuration de la nageoire dorsale. Pigmentation de la surface inférieure de la queue.
Rorqual commun	17-21	4-6	Tête étroite et pointue. Mâchoire inférieure droite de couleur blanche. Chevrons se prolongeant des narines vers l'arrière du corps avant de descendre sur les côtés. Nageoire dorsale plus haute que celle du rorqual bleu. Peau variant de gris foncé à brun, tachetée comme celle du rorqual bleu.	Configuration des chevrons.
Rorqual à bosse	10-13	2-4 (en forme de champi-gnon)	Longues nageoires pectorales blanches. Corps trapu. Comportement énergique à la surface de la mer. Petites protubérances sur le dessus de la tête et parfois sur la mâchoire inférieure.	Pigmentation de la face inférieure de la queue. Petites dentelures à l'extrémité de la queue. Forme de la nageoire dorsale.
Petit rorqual	5-8	1-3 (rarement visible)	Bande blanche sur la nageoire pectorale. Haute nageoire dorsale courbée vers l'arrière. Tête étroite et triangulaire, plus effilée que celle du rorqual commun.	Pigmentation des flancs, forme de la nageoire dorsale.
Baleine noire	13-15	3-4	Comme pour l'ensemble des baleines, absence de stries sur la gorge et de nageoire dorsale. Corps long et trapu. Mâchoires arquées.	Callosités sur les mâchoires.

Tableau 5
(suite)

	Lon-gueur moyen-ne (m)	Hauteur du jet d'eau (m)	Traits distinctifs de l'espèce	Traits distinctifs des individus d'une même espèce
Cétacés à dents				
Dauphin à flancs blancs	2-3	*	Petit bec. Aucune tache à proximité de la nageoire dorsale. Bande blanche sur les flancs qui devient jaune vers l'arrière. Nageoire dorsale proéminente et corps robuste.	On croit qu'il est possible de les différencier par la forme de leur nageoire dorsale, mais cela demeure très difficile en raison de leur nombre et de leur rapidité.
Dauphin à nez blanc	2-3	*	Petit bec. Deux taches blanches situées de chaque côté du dos, devant et derrière la nageoire dorsale. Pas de bande jaune sur les flancs.	
Marsouin commun	1,5	*	Le plus petit cétacé du golfe. Le dos est foncé et le ventre blanc. Petite nageoire dorsale triangulaire. Absence de bec.	Pigmentation entre la tête et la nageoire dorsale. Les marsouins sont timides, d'où la difficulté de les identifier.
Globicéphale noir	4-6	*	Grosse tête arrondie. Nageoires pectorales très recourbées vers l'arrière. Marque blanche en forme d'ancre sur le ventre.	Configuration de la nageoire dorsale.
Épaulard	5-8	1	Nageoire dorsale très haute chez le mâle (2 m) et plus courte chez la femelle (1m). Petite tache blanche derrière l'oeil. Large bande blanche remontant depuis le ventre jusqu'aux flancs.	Configuration de la nageoire dorsale et d'une tache habituellement blanche, en forme de « selle », localisée derrière la nageoire dorsale.

* Jet d'eau non évident

Tableau 6
Quelques traits du comportement des cétacés fréquentant l'Anticosti-Minganie

	Temps moyen de la plongée (minutes)	Vitesse de croisière (noeuds)*	Vitesse de pointe	Sociabilité
Cétacés à fanons				
Rorqual bleu	10	4-6	20-30	Seul ou par paires, parfois par petits groupes (5-6 individus).
Rorqual commun	6-8	4-6	20-30	Habituellement par paires, quelquefois en groupes de 3 à 8 individus et plus rarement en groupes de 20 à 30 individus.
Rorqual à bosse	5-7	2-5	10-15	Habituellement par groupes de 2 ou 3 individus, parfois par groupes de 20 à 30 individus. Lors des migrations ou dans un site riche en nourriture, on peut apercevoir de 30 à 50 individus rassemblés.
Petit rorqual	3-5	4-6	20	Habituellement solitaire. Dans les sites riches en nourriture, on peut apervoir jusqu'à 30 individus.
Baleine noire	10-15	1-4	10	Solitaire ou en groupes de 4 à 6 individus.
Cétacés à dents				
Dauphin à flancs blancs	1-2	8-12	20-25	Troupeaux formés habituellement de 50 à 200 individus et occasionnellement de 1 500 individus.
Dauphin à nez blanc	1-2	8-12	20-25	Troupeaux formés habituellement de 35 à 40 individus et occasionnellement de 1 500 individus.
Marsouin commun	1-3	2-4	15	Habituellement en groupes de 5 à 10 individus et parfois en groupes de près de 100 individus.
Globicéphale noir	3-5	3-6	15-20	Habituellement en groupes de 40 à 50 individus et parfois en groupes de près de 200 individus.
Épaulard	3-5	3-6	20-30	Habituellement en groupes de 2 à 5 individus et parfois en groupes de 20 individus.

* 1 noeud = 1,8 km/h

Laurent. Précisons que ces espèces, contrairement aux rorquals, donnent naissance à leur petit entre les mois de mai et août, après une période de gestation de 10 à 12 mois.

De la fin d'octobre jusqu'à la mi-novembre, les cétacés, bien gavés, quittent le golfe, évitant ainsi l'embâcle des glaces. Pour plusieurs commencent les migrations vers le sud. Année après année, il semble que les migrateurs retournent sensiblement aux mêmes endroits. Ces déplacements plus ou moins importants selon les espèces se répètent durant presque toute la vie du cétacé, qui dure entre 40 et 80 ans chez les rorquals, les autres groupes ayant une longévité inférieure.

Des sons aux usages variés

C'est un fait bien connu que les dauphins, tout comme l'ensemble des cétacés à dents, émettent, lorsqu'ils se déplacent, toute une gamme de sons de haute fréquence dont une fraction seulement est audible pour l'homme. Ces sons possèdent, semble-t-il, une fonction d'écholocation et servent à repérer des proies ou à préciser la configuration des fonds marins. Compte tenu du comportement fort sociable de ces animaux, il est incontestable qu'une partie de ces sons tient lieu de langage.

Chez les cétacés à fanons, les sons ont au contraire une basse fréquence. Bien qu'aucune expérience ne le démontre clairement, il se pourrait qu'une partie de ces sons soit destinée aux mêmes usages: langage et écholocation. Ces sons se déplacent rapidement dans l'eau (1 500 m/sec) et apparaissent pour cette raison plus utiles que les yeux, surtout dans les eaux troubles ou les eaux sombres des profondeurs. Enfin, selon l'état actuel des connaissances, on croit que l'émission de ces sons est plus importante pour les cétacés que la vue, même si cette dernière se révèle bonne.

Les cétacés présents dans l'archipel: un élément d'attraction exceptionnel

Les résidants des villages adjacents à l'archipel observent des baleines depuis fort longtemps. Dans ses chroniques, Placide Vigneau, gardien de phare à l'île aux Perroquets de 1892 à 1926, se montre à plusieurs reprises impressionné par le grand nombre de baleines qui circulent dans la région ainsi qu'à l'intérieur des îles. Il rapporte même qu'une baleine s'est échouée sur l'île Niapiskau le 30 juin 1869 et une autre, sur La Grande Île en septembre 1906.

Aujourd'hui, la présence de cétacés dans ce secteur du golfe Saint-Laurent apparaît d'un très grand intérêt pour les biologistes. Depuis quelques années, ces mammifères font d'ailleurs l'objet d'observations détaillées. Jusqu'ici 10 espèces différentes ont été aperçues dans la région de l'Anticosti – Minganie, dont 7 à proximité des îles. Au cours d'un séjour en Minganie, le visiteur aura certainement le plaisir de voir le petit rorqual, l'espèce la plus commune dans les eaux de l'archipel. Le marsouin commun abonde également dans la partie ouest alors que les 5 autres espèces sont plus occasionnelles ou rares (tabl. 4, 5 et 6).

Le petit rorqual (*Balaenoptera acutorostrata, Minke Whale*)

Le petit rorqual constitue le cétacé à fanons le plus représentatif des îles de Mingan (photo n° 119). Cette espèce, surnommée « le baleineau », circule un peu partout dans les îles, fait surface régulièrement devant le quai de Havre-Saint-Pierre et s'attroupe dans la partie ouest de l'archipel. Habituellement solitaire, le petit rorqual devient grégaire là où la nourriture (lançons, cape-lans et euphausides) se concentre. Un groupe évalué entre 25 et 30 individus passe ainsi presque tout l'été en périphérie des îles de Mingan. L'ensemble du détroit de Jacques-Cartier en compterait au total de 30 à 60.

Le petit rorqual atteint en moyenne de 5 à 8 m de longueur. C'est le plus court des rorquals. Lorsqu'il vient respirer, on ne voit qu'une partie de son dos sombre ainsi que sa nageoire dorsale, courbée vers l'arrière. Il respire alors bruyamment de 3 à 6 fois avant de disparaître pour une plongée qui dure de 3 à 5 minutes. Le petit rorqual vient occasionnellement manger à la surface. Il se roule alors sur lui-même ou bondit de l'eau à la verticale. On croit que ces bonds manifestent aussi une certaine exubérance ou servent à délimiter son territoire. C'est à ce moment que l'on peut apercevoir les bandes blanches qui garnissent ses nageoires pectorales ainsi que les nom-breux sillons ventraux (jusqu'à 80 chez le petit rorqual) distinguant les ror-quals des autres cétacés à fanons.

39
Petit rorqual

Plus étonnant encore est le fait que les petits rorquals peuvent être diffé-renciés l'un de l'autre par la pigmentation de leurs flancs. Là où la couleur blanche du ventre se mélange avec la couleur noire du dos, apparaissent des motifs blanchâtres en éventail (fig. 39). Grâce aux variations dans la dimen-sion et la configuration de ces « éventails », 9 petits rorquals ont été identifiés jusqu'à maintenant dans l'archipel. Un individu nommé « Bendor » et reconnu, celui-là, à sa nageoire dorsale abîmée a été observé dans l'archipel de Mingan au début d'août, puis à la mi-octobre 1981. Ce petit rorqual semblait privilégier, pour des raisons qu'on ignore, ce secteur du golfe Saint-Laurent.

Le marsouin commun (*Phocoena phocoena, Pourcil, Harbour Porpoise*)

Le marsouin commun est un cétacé à dents fréquent dans l'archipel qui ne mesure en moyenne que 1,5 m. Son dos est noir et muni d'une nageoire triangulaire, trapue à sa base. On l'aperçoit principalement dans le secteur compris entre les rivières Romaine et Saint-Jean, où il se nourrit de différents poissons, notamment de hareng, de lançon et de capelan et, plus rarement, de morue et de maquereau.

40
Marsouin commun

Les marsouins communs voyagent habituellement en groupes de 5 à 10 individus. On peut cependant voir à l'ouest de l'île aux Perroquets des groupes de 50 à 100 individus. Leur vitesse de croisière est relativement faible (2 à 4 noeuds; 1 noeud = 1,8 km/h) bien qu'ils soient capables de nager rapidement (15 noeuds) sur de courtes distances. Tout au long de leur parcours, ils plongent pour des périodes variant de 1 à 3 minutes. Quelques marsouins communs sont tués chaque année dans la région des îles de Mingan, car leur chair est considérée comme un mets délicat.

Le dauphin à flancs blancs (*Lagenorhynchus acutus, Atlantic White-sided Dolphin*)

Agiles et rapides, les dauphins à flancs blancs exécutent souvent des bonds dans les airs (fig. 41). En raison de cette exubérance, il est relativement facile de les repérer à l'horizon. Ce dauphin, d'une longueur variant entre 2 et 3 m, a le dos noir, le ventre blanc et porte sur chaque flanc une bande blanche juxtaposée à une bande beige vers l'arrière du corps. La nageoire dorsale est saillante, effilée et arquée en direction de la queue. Le dauphin à flancs blancs abonde dans le golfe du Saint-Laurent et circule de temps à autre dans les îles de Mingan. Les troupeaux se composent habituel-

41
Dauphin à flancs blancs

lement de 50 à 200 individus, bien que des attroupements d'environ 1 500 individus s'observent parfois au large des îles. À l'occasion les dauphins à flancs blancs aiment nager près des rorquals à bosse ou des rorquals communs. Ce compagnonnage serait plus intéressé qu'amical, puisque les dauphins semblent profiter des poissons repoussés vers la surface par les rorquals en quête de nourriture. Cette hypothèse est renforcée par le fait que les dauphins, qui s'alimentent principalement de calmars et de poissons, ne s'associent pas aux rorquals bleus dont la diète se compose essentiellement d'euphausides. De temps à autre les dauphins s'amusent aussi à suivre de petites embarcations, sans raison apparente.

Le dauphin à nez blanc (*Lagenorhynchus albirostris, White-beaked Dolphin*)

Le dauphin à nez blanc ressemble beaucoup au dauphin précédent mais s'en distingue par ses flancs garnis de deux bandes pâles; la première s'étend de la tête jusqu'à la nageoire dorsale et la seconde, de la nageoire dorsale jusqu'à la queue (photo n° 120). En dépit de son nom, le bec de ce dauphin n'est pas toujours blanc, mais complètement gris chez certains individus.

Les dauphins à nez blanc forment des troupeaux qui peuvent atteindre jusqu'à 1 500 individus, mais les plus gros rassemblements observés en Minganie se composaient de 35 à 40 individus. Leurs habitudes alimentaires et leurs relations avec les rorquals sont similaires à celles du dauphin à flancs blancs. Cependant, leur aire de distribution se situe plus au nord que celle de ce dernier.

Le rorqual commun (*Balaenoptera physalus, Fin Whale*)

Ce rorqual est considéré comme occasionnel dans les îles de Mingan et les chances de le rencontrer sont plus grandes dans la partie ouest. Le secteur délimité par l'île aux Perroquets, le banc Rouge (situé à près de 15 km à l'ouest de l'archipel) et l'ouest de l'île d'Anticosti est particulièrement intéressant en raison des nombreux rorquals communs qui y circulent. En 1975, un mâle de 16 m de longueur s'est même échoué à l'embouchure de la rivière Saint-Jean.

Le rorqual commun est environ 3 fois plus long que le petit rorqual et sa taille atteint en moyenne 19 m (photo n° 121). Plus sociable que son congénère, il forme des groupes de 3 à 8 individus, mais les rassemblements de 20 à 30 individus ne sont pas rares. Lorsqu'il plonge, il reste sous l'eau entre 6 et 8 minutes. Considéré comme un nageur rapide, il est surnommé à juste titre « le lévrier de la mer ». Sa vitesse de croisière atteint entre 4 et 6 noeuds et il peut tenir pendant une courte durée une vitesse de pointe de 20 à 30 noeuds.

Grâce à sa rapidité, il a pu échapper aux chasseurs de baleines jusqu'à la fin du XIXe siècle. Par la suite, les baleiniers mieux équipés lui ont fait une chasse très intensive partout dans le monde. Cette espèce, tout comme le rorqual bleu, a été chassée dans le Saint-Laurent entre 1905 et 1912, à partir d'une base située à Sept-Îles. Près de 60 gros rorquals étaient tués chaque année, dont la majorité étaient des rorquals communs.

Le globicéphale noir (*Globicephala melaena, Long-Finned Pilot Whale*)

Le globicéphale n'est qu'un hôte occasionnel dans l'archipel. Sa grosse tête arrondie ainsi que sa nageoire dorsale proéminente, obtuse et bien arquée le distinguent de tous les autres cétacés observés dans la région. Chez cette espèce, les nageoires pectorales sont longues (1/5 de la longueur totale de l'animal) et fortement recourbées vers l'arrière. Avec ses 5 m de longueur moyenne, la taille d'un mâle adulte représente un peu plus du double de celle des dauphins (2,5 m), mais reste inférieure à celle du petit rorqual (5 à 8 m).

Le globicéphale noir constitue un animal grégaire qui se nourrit principalement de calmar et plus rarement de poissons. Bien que des attroupements de près de 200 individus circulent au large des côtes de l'Atlantique, le plus grand troupeau rapporté dans la région des îles de Mingan se composait de 40 à 50 individus. Ce mammifère marin est réputé pour ses échouements en masse; les causes d'un tel comportement sont cependant mal comprises.

L'épaulard (*Orcinus orca, Killer Whale*)

Présent dans le golfe du Saint-Laurent, l'épaulard a rarement été vu dans l'archipel de Mingan. De la taille du petit rorqual (5 à 8 m), ce cétacé à dents possède 2 traits distinctifs qui ne trompent pas: une haute nageoire dorsale ainsi qu'une tache blanche et ovale juste derrière l'oeil (photo n° 122). Recherchant la compagnie de ses congénères, il circule le plus souvent en groupe de 2 à 5 individus.

Sa réputation d'agresseur impitoyable relève bien plus de la légende puisque l'épaulard s'en prend surtout aux individus malades, trop vieux ou trop faibles, assainissant ainsi les populations. Sur le plan biologique, ce prédateur est donc très utile. Phoques, marsouins, oiseaux marins et dauphins font parfois partie de son menu. En groupe, les épaulards s'attaquent même aux rorquals, qui sont souvent plus gros qu'eux.

Les cétacés du large: des espèces impressionnantes

Pour les plus aventureux et les mieux équipés, le secteur compris entre l'île aux Perroquets, le banc Rouge et l'île d'Anticosti réserve d'inoubliables rencontres avec 3 cétacés à fanons spectaculaires: le gigantesque rorqual bleu, l'acrobate rorqual à bosse et la proie préférée des premiers baleiniers, la baleine noire.

42
Rorqual bleu

Le rorqual bleu (*Balaenoptera musculus, Blue Whale*):
le géant des cétacés

Ce cétacé est véritablement le plus volumineux de tous les animaux ayant existé sur terre. Il peut atteindre jusqu'à 31 m de longueur, bien que les individus observés dans le Saint-Laurent ne dépassent pas 25 m. Son poids énorme (jusqu'à 130 000 kg) surprend davantage et équivaut, à titre de comparaison, à celui de 25 éléphants ou de 1 600 hommes! Néanmoins, ce géant se nourrit presque exclusivement de petits crustacés (euphausides). La nageoire dorsale, visible lorsque le rorqual bleu fait surface, est très petite comparativement à celle des autres rorquals. Par contre, son immense queue, d'une envergure impressionnante de 5 à 8 m s'élève fréquemment hors de l'eau lorsqu'il plonge (photo n° 123).

Ce rorqual circule seul ou par paires et longe les zones relativement profondes (supérieures à 50 m) du passage Jacques-Cartier. Il est relativement abondant, et les biologistes ont déjà croisé jusqu'à 10 individus lors d'une seule reconnaissance dans ce secteur. Grâce à la configuration de sa nageoire dorsale ainsi qu'à la pigmentation de son dos et de la surface inférieure de sa queue, on sait que près de 25 individus circulent chaque année de la mi-avril jusqu'au début de novembre entre la Côte-Nord et l'île d'Anticosti.

Tout comme le rorqual commun, le rorqual bleu est un nageur rapide atteignant une vitesse de pointe de 20 à 30 noeuds. Il demeure facilement sous l'eau jusqu'à 20 minutes, mais sa plongée moyenne ne dure que de 8 à 12 minutes.

Le rorqual bleu a été pourchassé assidûment depuis la fin du siècle dernier jusqu'en 1966 dans toute son aire de distribution, et particulièrement dans l'Antarctique. Un commissaire de pêche, M. Lavoie, précise pour la région que des baleines de grande dimension furent blessées au printemps 1877 dans le golfe. Échappant aux goélettes baleinières, elles se seraient par la suite échouées sur les rives de l'île d'Anticosti, de Mingan et de Magpie.

Le rorqual à bosse (*Megaptera novaeangliae, Humpback Whale*):
le bouffon des mers

Ce rorqual, relativement trapu en comparaison avec les autres espèces de la même famille, mesure en moyenne de 10 à 13 m. On le reconnaît à ses longues nageoires pectorales blanches, verdâtres sous l'eau et atteignant le tiers de la longueur totale de son corps. Le rostre (tête) et la mâchoire supérieure portent plusieurs petites protubérances qui ne seraient que les vestiges de follicules pileux.

Le rorqual à bosse (fig. 43) se déplace en groupe de 2 ou 3 individus et, occasionnellement, en groupe de 20 à 30. Lors des migrations ou dans les sites riches en nourriture, ce nombre atteint facilement 30 à 50. Ce cétacé aime s'ébattre de plusieurs façons. Il frappe souvent la surface de l'eau avec ses nageoires ou sa queue, se roule sur lui-même à plusieurs reprises ou bien se projette complètement hors de l'eau (photos nos 124 à 126). Ses différentes acrobaties lui ont valu le surnom de « bouffon des mers ». Ces manifestations expriment, semble-t-il, de l'exubérance, servent de langage ou ont une signification quelconque dans la délimitation de son territoire. Ce rorqual est aussi curieux, sinon plus, que le petit rorqual. Il s'approche parfois très près des bateaux, sort sa tête complètement hors de l'eau et semble observer ce qui se passe à bord!

Le régime alimentaire du rorqual à bosse se compose d'euphausides et de poissons (lançon, capelan, …). Lorsqu'il se nourrit, il lui arrive de s'élancer verticalement vers la surface, bouche grande ouverte, au travers d'un banc de petits poissons. Les goélands et les sternes qui tournoient autour de lui profitent de ce moment pour récupérer les poissons excédentaires.

Le rorqual à bosse est occasionnel au large des îles de Mingan. C'est une espèce relativement lente, chassée anciennement par les Basques. Les fours présumés basques de l'île du Havre et de l'île Nue de Mingan pourraient ne pas être étrangers à ces chasses et suggèrent que le secteur de l'Anticosti – Minganie a été très tôt un endroit de prédilection pour les mammifères marins. Durant les derniers siècles (fin du XVIIIᵉ et XIXᵉ) et jusqu'en 1966, les chasses au rorqual à bosse se sont poursuivies. Voici ce que M. Lavoie écrivit dans son rapport de 1874-1875:

« Les armements pour la pêche à la baleine ne datent sur nos côtes que de l'époque où des Américains loyalistes vinrent s'établir, après la paix de 1763, sur les côtes de Gaspé. Les loyalistes arrivèrent sur nos rivages avec l'expérience des pêches à la baleine qu'ils avaient pratiquées sur les côtes de la Nouvelle-Angleterre, et ne tardèrent pas à s'apercevoir des profits qu'ils pouvaient faire dans notre golfe, en se livrant à une industrie qu'ils savaient exploiter. Tels furent les commencements des premières expéditions. La flotte, peu nombreuse d'abord et composée de petits vaisseaux, se multiplia petit à petit, et il fut un temps où ces expéditions comptèrent jusqu'à douze belles goélettes. Ce fut alors l'âge d'or dans Gaspé, et les anciens qui se rappellent encore des profits énormes que les baleiniers faisaient avec la pêche ne savent exprimer en termes assez forts l'imprévoyance des pêcheurs qui n'ont pas su s'assurer alors l'aisance et la richesse qui leur arrivaient à pleins bâtiments. Le nombre des goélettes expédiées à la chasse de la baleine a diminué peu à peu; aujourd'hui il est réduit à trois.

Trois espèces de baleines fréquentent notre golfe; mais celle qu'on poursuit le plus généralement est la baleine à bosses, appelée ainsi à cause des bosses qu'elle a sur le dos. Pendant plusieurs années la baleine avait été tellement chassée par nos chasseurs de Gaspé, qu'elle avait fui notre golfe comme elle avait fui pour la même cause les côtes d'Europe et de l'Amérique Centrale; tellement que cette pêche était devenue ruineuse, nos pêcheurs l'abandonnèrent. Ce répit lui a permis, je crois de se reproduire, et depuis deux ans on voit la baleine en aussi grande quantité dans notre golfe qu'on la voyait autrefois. Ceux qui ont été employés, dans ces expéditions cette année, disent qu'ils en ont vues des mille et des mille. »

En raison de cette chasse intensive, le rorqual à bosse est considéré aujourd'hui comme une espèce à protéger rigoureusement.

La baleine noire (*Eubalaena glacialis, Right Whale*):
la proie favorite des premiers baleiniers

La baleine noire possède un corps robuste, long d'environ 14 m et pesant en moyenne 50 tonnes. Ses mâchoires sont arquées et ses fanons sont plus longs que ceux des rorquals. L'emplacement et la configuration des callosités blanches ornant ses mâchoires permettent de différencier les individus entre eux.

Les baleines noires sont solitaires ou forment de petits groupes de 4 à 6 individus. En raison de sa lenteur, cette espèce a été chassée intensivement

43
Rorqual à bosse

durant plusieurs siècles. Elle donnait une grande quantité d'huile compte tenu de sa taille. Cette huile servait à des fins multiples (éclairage, savon,...) alors que les fanons entraient dans la confection de nombreux objets.

La population de baleine noire fut pratiquement décimée par cette chasse impitoyable. Même si cette espèce est protégée depuis plus de 40 ans, le nombre d'individus ne semble pas s'être accru de façon significative depuis ce moment. Le nombre total de baleines noires le long de la côte est de l'Atlantique se situe entre 200 et 300 individus. Au cours des dernières années, de 10 à 20 individus seulement ont fréquenté le golfe annuellement. Depuis 1976, 4 individus ont pu être aperçus le long de la Côte-Nord, entre Sept-Îles et l'archipel de Mingan. Il va sans dire que cette espèce est actuellement considérée en danger d'extinction.

Le cas de la baleine noire, elle aussi en danger d'extinction, du rorqual à bosse et du rorqual bleu, classés comme des espèces à protéger sévèrement, devrait nous faire réfléchir sérieusement. À cette liste déshonorante s'ajoute malheureusement le **béluga** (marsouin blanc), probablement disparu des eaux de l'archipel. Il y a à peine 60 ans, Placide Vigneau écrivait:

« Depuis le 10 de ce mois, une quantité prodigieuse de marsouins blancs longent la côte... et font un tort considérable pour la pêche... on peut les compter par milliers, ils ont passé par le rapide de Betchewun ». (Ce rapide est situé entre l'île à la Chasse et la Côte-Nord.)

Cette ère d'abondance est aujourd'hui révolue. Espérons néanmoins que les cétacés soient rigoureusement protégés dans ce siècle où l'homme exerce de fortes pressions sur le milieu marin. À l'heure actuelle, les études se font de plus en plus nombreuses. L'identification des individus de plusieurs espèces fait progresser sans cesse notre connaissance sur les migrations et le comportement de ces animaux. Les données présentées dans cette section ne sont évidemment que préliminaires, et il faudra attendre encore plusieurs années avant de bien cerner les déplacements et habitudes des cétacés séjournant dans le golfe du Saint-Laurent. De mieux en mieux informés, les spécialistes pourront peut-être contribuer par leurs études et leurs avertissements à sauvegarder leur habitat et assurer la pérennité de ces visiteurs merveilleux.

7.
La faune ailée

Avec le printemps, la faune ailée de la Minganie connaît un regain d'activité. De multiples arrivées, de nombreux départs. L'espace rempli à nouveau de sifflements stridents, de gazouillis joyeux et de battements d'ailes. Selon leur diète et leur mode de vie, les oiseaux migrateurs envahissent tour à tour l'habitat qui leur convient le mieux: les goélands et les mouettes privilégient les landes et les falaises; les canards noirs fréquentent surtout les lacs; les pluviers et les bécasseaux parcourent fébrilement les platiers alors que les pinsons et les fauvettes se réfugient principalement dans la forêt. Parmi ces migrateurs, se distinguent les oiseaux marins dont le vol rapide, l'agilité et les cris aigus attirent inévitablement l'attention. Indissociables de tout paysage maritime, ils suscitent dans l'archipel beaucoup d'intérêt en raison de leur abondance et de leur diversité.

« Les goélands et les eiders
Se promenaient dans les valeurs
Et le soleil à l'horizon
Se rapprochait d'un autre été
Par la lumière de ses rayons
Dans un décor de liberté »

Roland Jomphe,
« Le miracle d'oncle Joseph ».

Entre terre et mer, les oiseaux marins

Véritables traits d'union entre la mer et la terre, les oiseaux marins caractérisent et dominent par leurs piaillements le cadre sonore des îles de Mingan. Alors qu'ils nichent sur terre, ils s'alimentent presque exclusivement des produits de la mer. Remarquablement bien adaptée aux grands espaces marins, la forme aérodynamique de leurs ailes étroites et allongées permet à plusieurs espèces, comme le goéland, de planer avec aise et d'exploiter efficacement les courants d'air de vélocité différente. Comme autre particularité, les oiseaux marins possèdent à la base de chaque oeil une glande leur permettant d'excréter l'excès de sel qu'ils assimilent au contact de l'eau salée. Leur diversité dans l'archipel tient surtout à la présence de nombreux habitats; les replats ou les anfractuosités des falaises, les îles herbeuses et les landes arbustives sont en effet autant de sites recherchés par différentes espèces pour nicher. L'importance des îles de Mingan pour ce groupe d'oiseaux avait d'ailleurs incité dès 1925 le gouvernement fédéral à instituer 2 sanctuaires. À l'ouest, l'île aux Bouleaux de Terre, l'île aux Bouleaux du Large et le Pain de Sucre formaient le refuge des îles aux Bouleaux, tandis qu'à l'est le refuge de Betchouane comprenait l'île à Calculot des Betchouanes et l'île Innu. Ces îles ont été recensées sur une base quinquennale depuis 1925 jusqu'à tout récemment. De nos jours, seul le second site est encore considéré comme un refuge.

Des colonies tapageuses

Les goélands, les mouettes et les sternes forment un groupe d'oiseaux très homogène et se rencontrent régulièrement dans les milieux côtiers et océaniques. Ils se reproduisent habituellement dans des colonies où règne une activité fébrile.

Omniprésent dans le paysage, **le goéland argenté** est l'espèce la plus abondante. L'oiseau adulte se reconnaît par sa tête blanche, son manteau gris perle et le bout de ses ailes noir. Son bec jaune avec un point rouge sur la mandibule inférieure et ses pattes rose chair sont d'autres traits caractéristiques permettant de l'identifier correctement (photo n° 127). La population totale de goélands argentés dans les îles de Mingan est estimée à environ 4 000 couples. Ce n'est donc pas surprenant que les cris plaintifs de cette espèce retentissent à tout moment, d'un bout à l'autre de l'archipel. La diète du goéland argenté se compose surtout de poissons. À l'occasion, il s'attaque aux oeufs et aux jeunes poussins de ses congénères, ou à ceux d'oiseaux tels que l'eider à duvet et la sterne commune. Les landes de la Minganie, et tout particulièrement l'île Nue de Mingan, accueillent des quantités impressionnantes de goélands argentés durant la saison de nidification.

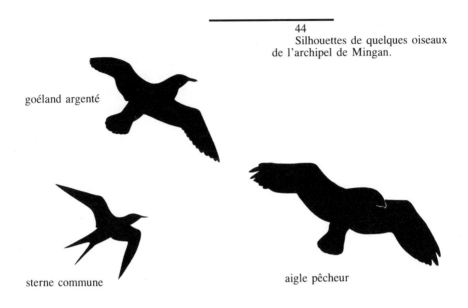

44
Silhouettes de quelques oiseaux
de l'archipel de Mingan.

goéland argenté

sterne commune

aigle pêcheur

En juillet et août, il est facile d'apercevoir les jeunes goélands de l'année qui déambulent, un peu maladroits, dans les landes ou sur le littoral à la recherche de leur pitance. Lorsqu'ils sentent la présence d'observateurs, ils se réfugient sous les arbres rabougris ou dans les anfractuosités rocheuses. Dans leur hâte de se cacher ils culbutent bien souvent, s'attirant alors un peu de compassion.

Si le goéland argenté s'illustre par sa présence abondante et bruyante, le **goéland à manteau noir** se caractérise par sa taille supérieure. Le manteau noir de l'adulte permet de l'identifier très facilement (photo n° 128). Sa tête est blanche et, tout comme son cousin le goéland argenté, il arbore un point rouge sur la mandibule inférieure de son bec.

Moins scrupuleux que ce dernier, le goéland à manteau noir n'hésite pas à dérober les oeufs des autres goélands et des eiders à duvet, ou encore à s'attaquer à leurs jeunes poussins laissés sans surveillance. Outre ces proies recherchées, il ne dédaigne pas les poissons et les nombreux invertébrés peuplant les eaux côtières, notamment les oursins verts. En raison de son comportement agressif et profiteur, les gens de la région le surnomment avec ironie « l'anglais ». Le compte Henry de Puyjalon, célèbre naturaliste de la Côte-Nord, présente, quant à lui, une version un peu plus dramatique concernant l'origine de ce curieux nom:

« Il y a une quarantaine d'années, une frégate anglaise – (dans les années 1800) ce sont les gens de la Côte qui le disent – se perdit corps et biens sur un récif du golfe. La mer jeta au plein une foule de ca-

vres et lorsque les pêcheurs vinrent inhumer les malheureuses victimes
de la tempête et de la brume, ils furent obligés de ravir ces pauvres
corps à une nuée de goélands à manteau noir qui se disputaient la chair
de ces tristes épaves. Les pêcheurs de cette époque les appelèrent man-
geurs d'anglais. Depuis, un besoin de concision particulier aux gens de
mer fit disparaître une partie de l'épithète primitive et aujourd'hui l'on
dit seulement: des anglais».

Le goéland à manteau noir est moins grégaire que le goéland argenté
et forme habituellement des couples isolés. On en compte à l'heure actuelle
près de 80 dans l'archipel. Lorsqu'il niche en colonie, ses nids se distancent
les uns des autres beaucoup plus que ceux du goéland argenté. Sur le plan
de la reproduction le comportement de ces 2 espèces se ressemble par contre
passablement.

La **mouette tridactyle** s'apparente par sa physionomie aux goélands. Délicate et légère, elle est cependant beaucoup plus petite. Son manteau est gris
et le bout de ses ailes d'un noir d'encre contrastant. Enfin, son bec jaune
uniforme ainsi que ses pattes noirâtres la différencient sans équivoque des
goélands décrits précédemment.

La mouette tridactyle se regroupe en colonie spectaculaire dans les falaises.
Plusieurs centaines de couples occupent ainsi une muraille du côté ouest de
l'île à Bouleaux du Large, alors que quelques-uns seulement fréquentent une
paroi peu élevée de l'île à Calculot des Betchouanes. Bien que la population
de mouettes tridactyles ait connu une expansion au cours des dernières années,
de nouvelles colonies pourraient difficilement s'établir dans l'archipel en rai-

cormoran
à aigrettes

grand chevalier
à pattes jaunes

courlis corlieu

macareux moine

pluvier

bécasseau

son de la rareté des falaises pourvues de petits replats propices à l'installation de leurs nids (photo n° 129). La Minganie est ainsi faite que chaque île est unique, autant pour le visiteur que pour les oiseaux semble-t-il!

Le nid de la mouette tridactyle est un véritable petit chef-d'oeuvre. Il présente la forme d'une coupe peu profonde construite à partir d'algues, de brins d'herbes et de mousses soigneusement agencés. La femelle pond habituellement 2 oeufs et parfois 3. Mâle et femelle se partagent l'incubation et l'élevage des jeunes. Dès la fin d'août les jeunes et les parents s'envolent vers les océans septentrionaux et ne fréquentent alors que le milieu pélagique (haute mer) en quête de leur nourriture composée surtout de menus poissons et de zooplancton.

En dépit de leur couleur pâle, les sternes se distinguent aisément des goélands et des mouettes par leur profil similaire à celui d'une grosse hirondelle de mer. La **sterne commune** est bien connue des résidants de la Basse Côte-Nord, qui la surnomment « estarlette ». Le bout de son bec rouge bien effilé apparaît noirâtre tandis que ses ailes étroites sont grises. Sa queue fourchue et sa calotte noire complètent enfin les critères d'identification (photo n° 130). Dès la fin du mois de mai, la sterne commune s'installe dans les îles de Mingan pour y nicher. Son nid consiste en une faible dépression tapissée d'herbe, de brindilles ou de petits débris de coquillages. La femelle pond en moyenne 2 ou 3 oeufs qui seront incubés alternativement par les 2 parents pendant 25 jours.

Les oeufs, de couleur sable et tachetés de brun, rappellent de petites roches et se confondent avec le milieu ambiant. Au cours de la période d'incubation, la sterne montre un comportement agressif, et son cri d'alarme, une sorte de trémolo aigu constamment répété, devient vite agaçant. Adaptée au vol rapide et souple, en raison de la forme recourbée et effilée de ses ailes, elle voltige au-dessus de l'eau en quête de petits poissons. Ses piqués subits sont assez spectaculaires; tête première, elle s'élance sans hésitation, plonge et ressort de l'eau à peine mouillée!

La sterne commune niche dans l'archipel en compagnie de la **sterne arctique**. Comme ces 2 sternes sont presque identiques, il faut des conditions idéales d'observation pour ne pas les confondre. La sterne arctique adulte ne se distingue en effet que par son bec complètement rouge vif et lorsqu'elle est debout, ses pattes sont plus courtes que celles de sa congénère. La sterne arctique est surtout réputée pour ses extraordinaires migrations. Après avoir niché au cours de l'été dans l'est du Canada, elle commence son périple par la longue traversée de l'Atlantique. Après avoir atteint l'Europe, elle poursuit son trajet vers le sud en longeant la côte ouest de l'Europe, puis celle de l'Afrique, pour atteindre son aire de repos qui s'étend depuis le large de l'Afrique du Sud jusqu'au cercle antarctique! Les reprises de sternes arctiques baguées au Labrador et en Norvège ont révélé qu'elles peuvent parcourir près de 15 000 km en 5 mois! Chaque printemps, lorsqu'elles reviennent dans l'archipel de Mingan, elles ont donc effectué un voyage impressionnant, équivalent à presque un tour du monde!

L'île de la Maison, l'île Nue de Mingan et l'île à Calculot abritent les principales colonies de sternes. Après le goéland argenté, les sternes sont les oiseaux marins les plus abondants en Minganie. La population totale de sternes se chiffre à environ 3 900 couples et de ce nombre, près de 3 % sont des sternes arctiques.

Les godes, les guillemots et les macareux: des espèces attachantes

Plus que les autres oiseaux marins, les godes, les guillemots et les macareux fascinent les naturalistes qui prennent beaucoup de plaisir à les observer, d'autant plus qu'ils sont fort beaux et peu communs dans le golfe du Saint-Laurent. Contrairement au plumage pâle des mouettes, sternes et goélands, celui de ce groupe d'oiseaux se pare essentiellement de noir et de blanc. Sous un climat froid la couleur noire présente l'avantage d'accroître l'absorption de la chaleur solaire. La position de leurs pattes vers l'arrière du corps les oblige à se tenir à la verticale sur les rochers, ce qui leur donne l'air imposant des pingouins. Leurs ailes courtes et étroites leur permettent aussi bien de voler que de nager avec aise sous l'eau alors qu'ils sont en quête de nourriture. Par un battement vigoureux des ailes, ils s'amusent souvent à raser la surface de l'eau comme des hydroglisseurs.

C'est assurément le **gode** qui ressemble le plus au pingouin, car son ventre tout blanc contraste avec le noir de son dos. Comme autre particularité, il porte quelques stries blanches sur son bec noir, épais et comprimé latéralement (photo n° 131). Il est peu abondant dans l'archipel et niche en petit nombre sur l'île à Calculot des Betchouanes et sur l'île de la Maison. À ces endroits, il s'installe dans les anfractuosités du roc ou dans les cavités naturelles offrant une toiture suffisamment haute pour qu'il puisse se mettre debout. Il dépose sur le roc son unique oeuf blanc, parsemé de points et d'éclaboussures brunes ou noirâtres. Les 2 parents participent à l'incubation et à l'élevage du jeune poussin. Dès le mois d'août, les jeunes godes prennent la mer en compagnie de leurs parents et vont hiverner au large des côtes de Terre-Neuve, de la Nouvelle-Écosse et de la Nouvelle-Angleterre. Par la suite, les jeunes mettront 5 ans avant de revenir à la colonie afin de se reproduire.

Il est possible de surprendre ici et là, soit sur la mer ou en circulant à la périphérie des îles, de petits attroupements de **guillemots noirs**, flottant paisiblement à la surface de l'eau. Surnommé «pigeon de mer», cet oiseau s'identifie à l'âge adulte grâce à son plumage noir, ses ailes ornées d'une grande tache blanche et ses pattes rouges (photo n° 132). Les sites les plus fréquentés par cette espèce bordent l'île Sainte-Geneviève, l'île aux Perroquets et l'île à Bouleaux du Large. Le guillemot noir niche en petite colonie ou par couples isolés. Il bâtit son nid dans les anfractuosités des falaises ou encore parmi les talus d'éboulis. Peu visibles, ses 2 oeufs sont habituellement blancs et portent des éclaboussures et des points bruns ou gris violacé. L'incubation qui dure en moyenne 28 jours est assurée par les 2 parents.

L'île de la Maison et l'île à Calculot des Betchouanes réservent aux naturalistes un oiseau encore plus fabuleux: le **macareux moine** (photo n° 133). Son gros bec triangulaire, très coloré, le distingue de tous les autres oiseaux marins et lui donne une drôle d'allure rappelant celle d'un perroquet, un oiseau exotique avec lequel il n'a cependant aucun lien de parenté. Les gens de la région le surnomment à cet effet depuis longtemps le « perroquet de mer » ou encore le « calculot ». Outre son bec remarquable, ce sympathique oiseau de mer présente les caractéristiques suivantes: un corps trapu, un ventre immaculé, un dos noir et des pattes orangées. Il est fréquent d'observer les macareux au vol avec quelques poissons dans leur bec, en direction de leur nid.

Le macareux moine a la particularité de creuser un terrier dans le talus herbeux de la partie supérieure des falaises. Ces terriers mesurent parfois jusqu'à 1,20 m de profondeur et conduisent à une chambre où la femelle dépose un oeuf blanc terne. Celle-ci s'accommode à l'occasion d'une crevasse ou d'une anfractuosité dans le roc; tel est le cas sur l'île à Calculot des Betchouanes. Les 2 parents participent à l'incubation d'une durée moyenne de 42 jours. Présentement, on évalue la population de cette espèce dans l'archipel de Mingan à environ 140 couples. Mais autrefois, les macareux moine étaient beaucoup plus abondants. Ainsi, en 1951, la colonie de l'île à Calculot des Betchouanes comptait à elle seule près de 640 individus. La diminution des effectifs résulte, semble-t-il, d'un braconnage inconséquent et de la prédation des jeunes macareux par le goéland argenté. Comme la population de macareux moines de la Minganie se révèle celle qui se localise le plus à l'ouest dans le golfe du Saint-Laurent, il importe désormais de mieux la protéger.

L'eider à duvet, ce magnifique canard de mer

L'**eider à duvet** fait partie de la vie du chasseur de la Côte-Nord, qui l'appelle « moyac ». Ce canard de mer est présent toute l'année dans l'archipel de Mingan, mais selon les saisons, il s'agit d'une sous-espèce différente. L'eider nicheur circulant dans les îles au début du printemps appartient à la sous-espèce *dresseri* (fig. 45). Mâle et femelle se distinguent facilement. Alors que le mâle revêt un magnifique plumage noir et blanc, la femelle, de couleur brune, apparaît plutôt terne (photo n° 134). Celle-ci recherche les dépressions dans les landes pour aménager au sol son nid douillet, tapissé de débris végétaux et bordé d'un fin duvet arraché à sa poitrine. Comme on le sait, le duvet d'eider est réputé pour ses propriétés calorifiques et sert

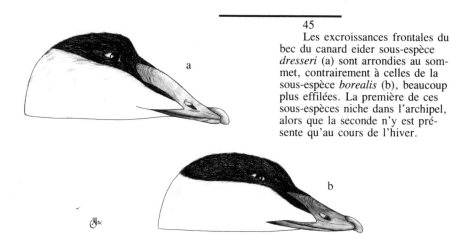

45

Les excroissances frontales du bec du canard eider sous-espèce *dresseri* (a) sont arrondies au sommet, contrairement à celles de la sous-espèce *borealis* (b), beaucoup plus effilées. La première de ces sous-espèces niche dans l'archipel, alors que la seconde n'y est présente qu'au cours de l'hiver.

à la confection de sacs de couchage et de vêtements d'hiver. Il faut cependant un permis spécial pour procéder à sa cueillette. Chaque nid contient en moyenne de 4 à 6 oeufs verdâtres. Leur incubation dure environ 28 jours et la femelle accomplit en solitaire cette tâche astreignante et épuisante. Pendant ce temps, les mâles insouciants se rassemblent pour fuir vers des espaces plus paisibles. Dès que les jeunes sortent de leur coquille, la femelle les conduit sur le littoral où ils se gavent de petits invertébrés. Il n'est pas rare d'observer au début de juin, errant dans les nombreuses baies de la Minganie, les femelles en compagnie de 8 à 10 jeunes eiders et même plus. Ces regroupements se nomment « crèches ».

Bien que les populations nicheuses aient augmenté entre 1925 et 1960, elles ont par la suite considérablement diminué, en raison de la cueillette irrationnelle des oeufs et d'une chasse abusive. C'est dommage, car lorsqu'il n'est pas dérangé par l'homme, cet eider forme d'immenses colonies, absolument splendides. À l'automne, cette sous-espèce quitte l'archipel et migre vers des régions plus tempérées.

C'est à ce moment que la seconde sous-espèce, nommée *borealis*, envahit les zones libres de glace de l'archipel. Elle se distingue de la précédente par les excroissances frontales de son bec, courtes et très aiguës (fig. 45). Cette sous-espèce vient de la Terre de Baffin, de la partie nord du Labrador et de l'Ungava, régions où elle a niché au cours de l'été. Les biologistes évaluent la population hivernante d'eiders dans le secteur des îles de Mingan et de l'île d'Anticosti à environ 100 000 individus! Cette région est très favorable pour ces oiseaux, car l'action combinée des courants et des vents dominants limite la formation du banc de glace.

Des cormorandières insolites

Le **cormoran à aigrettes** est un grand oiseau sombre bien représenté dans l'archipel de Mingan. Son plumage noir et son vol caractérisé par des battements d'ailes lents et puissants permettent de le reconnaître sans peine. Nageur et plongeur de premier ordre, il se nourrit exclusivement de poissons. Il est amusant de l'observer sur les récifs où il s'installe habituellement pour faire sécher avec soin ses grandes ailes.

En Minganie, cet oiseau marin niche en pleine forêt à la périphérie de petits étangs. Il en résulte un assemblage tout à fait inhabituel et saugrenu, car comment imaginer cet oiseau d'envergure parmi les sapins et les épinettes. En raison de sa taille imposante le cormoran construit son nid à la cime des arbres, chaque arbre pouvant porter jusqu'à 3 nids (photo n° 135). Ce nid, de grande dimension, est ordinairement fait de branchages et de tiges de plantes. La femelle y pond 3 ou 4 oeufs bleuâtres. À la naissance, les petits ne sont guère jolis et restent entièrement sous la dépendance de leurs parents pendant plusieurs semaines. Incapables de voler, ils restent juchés dans leur nid; ils crient, s'étirent, tentent de battre des ailes ou laissent choir négligemment leurs excréments sur les branches des arbres. Ceux-ci, saturés de guano, meurent progressivement et confèrent à la longue au paysage un aspect vraiment désolant. Le tableau composé par ces grands oiseaux noirs, vivant à l'étroit dans leur nid au sein d'une forêt à demi desséchée, semble irréel et crée une ambiance empreinte d'exotisme.

Les cormorandières de la Minganie sont peu accessibles et se localisent sur l'île Sainte-Geneviève et sur l'île à Bouleaux du Large. Jadis, les cormorans nichaient probablement sur le récif nommé aujourd'hui la Cormoraillerie Sainte-Geneviève. Dérangés par l'homme, ils auraient choisi par la suite de se retirer dans la forêt.

Autrefois nicheuses, aujourd'hui rares

Malheureusement, la faune ailée de la Minganie compte dans sa liste d'oiseaux marins 2 espèces ne nichant plus à l'heure actuelle sur les îles. Il s'agit du **fou de bassan,** qui fréquentait autrefois l'île aux Perroquets, et de la **marmette commune,** jadis présente sur l'île à Calculot, comme le suggère son ancien toponyme en vigueur vers 1750, l'île à la Marmette. Lucas est le dernier naturaliste à observer, en 1891, ces espèces nicher en Minganie. De nos jours, les fous de bassan circulent occasionnellement dans les îles de Mingan, alors que la marmette commune apparaît exceptionnelle.

Quelques oiseaux aquatiques

Pour la plus grande joie des chasseurs, plusieurs oiseaux aquatiques se posent lors des migrations sur les petits lacs éparpillés dans l'archipel; certains y passent même tout l'été. Parmi ceux-ci, le **canard noir** représente l'espèce la plus abondante, bien qu'on puisse observer assez régulièrement des sarcelles à ailes vertes, des becs-scies à poitrine rousse, des grands becs-scies, des huarts à collier ou à gorge rousse et des morillons à collier. Le plumage du canard noir possède une couleur brun foncé, et son corps est plus gros comparativement aux autres canards. Le dessous des ailes est blanc, alors que les pattes revêtent une coloration orangée. Après l'eider à duvet, le canard noir constitue l'oiseau le plus recherché par les chasseurs de la région. On l'observe ici et là dans les baies abritées à la périphérie des îles de même que sur les lacs de l'intérieur. Cette espèce se concentre sur certains lacs de La Grande Île et de l'île à Bouleaux de Terre.

Une présence animée sur le littoral

Lors des migrations printanières et automnales, plusieurs petits oiseaux égaient les rives de l'archipel. Ils voltigent en bandes joyeuses à la périphérie des îles, exécutant des changements de direction rapides et imprévisibles, ou picorent nerveusement sur les platiers, dans les baies ou les marais salés, à la recherche d'insectes et de petits invertébrés. Deux groupes abondent particulièrement en Minganie: les pluviers et les bécasseaux auxquels se joint le phalarope hyperboréen.

L'allure des pluviers se profile presque toujours ainsi: un corps trapu, un cou très peu allongé, des yeux relativement gros ainsi qu'un bec court et épais, généralement plus long que la tête. Le pluvier à collier et le pluvier argenté constituent les 2 espèces les plus communes en Minganie. Le **pluvier à collier** se présente comme un petit oiseau au bec court et au dos brun, portant un collier blanc. On le trouve en grand nombre sur l'ensemble des platiers de l'archipel. Le **pluvier argenté** forme, pour sa part, de petits attroupements dispersés et diffère de l'espèce précédente par sa taille supérieure, son dos argenté et son ventre noir.

Les bécasseaux, la maubèche branle-queue, le grand chevalier à pattes jaunes ainsi que le tourne-pierre roux forment un second groupe plus diversifié que le premier. Tous ces oiseaux se distinguent des pluviers par leurs pattes délicates et leur bec beaucoup plus fin. Habituellement droit, ce bec est toutefois incurvé chez le **courlis corlieu** que nous pouvons observer en petit nombre sur le littoral. Les 3 bécasseaux les plus susceptibles d'être rencontrés dans l'archipel sont: le bécasseau minuscule, le bécasseau à poitrine rousse et le bécasseau semi-palmé (photo n° 136).

La **maubèche branle-queue**, quant à elle, doit son nom au hochement continuel de son arrière-train. Comme autre particularité, elle possède un bec jaunâtre dont l'extrémité est foncée (photo n° 137). Elle vole habituellement près de l'eau et ses ailes tendues et arquées vers le bas battent très vite.

Ses cris les plus fréquents retentissent comme un « pit-oûit » aigu ou bien une série de « oûit ». Cet oiseau fréquente aussi bien les rivages que les lacs d'eau douce et les tourbières. On peut l'apercevoir ici et là dans l'archipel, notamment dans le marais salé et les tourbières minérotrophes de l'île Saint-Charles.

Soutenu par de longues pattes jaunes et muni d'un long cou, le **grand chevalier à pattes jaunes** excède par sa taille les autres membres de la famille des bécasseaux (photo n° 138). Son port est altier et il a l'habitude de hocher la tête lorsqu'il marche. En règle générale, le grand chevalier fréquente les mêmes habitats que la maubèche branle-queue. Aucun nid n'a été vu, mais les comportements territoriaux de cette espèce laissent présumer qu'elle niche dans l'archipel.

Plus que les autres oiseaux de rivage, le **tourne-pierre roux** attire l'attention par le bariolage noir, blanc et roux de son corps. Il possède un bec effilé et légèrement relevé ainsi que des pattes courtes et rouge orangé (photo n° 139). Relativement abondant en période migratoire, il est, avec le bécasseau à poitrine rousse, une des espèces de la Minganie à nicher le plus au nord au cours de l'été, soit dans la partie septentrionale du Groenland.

Lors des migrations printanières, le **phalarope hyperboréen** accompagne fréquemment les oiseaux de rivage décrits précédemment. Phénomène inhabituel chez les oiseaux, la femelle revêt au printemps un plumage plus coloré que celui du mâle. Elle porte une tache rousse à la gorge, tandis que son ventre blanc contraste avec son dos et le dessus gris de sa tête. Ce petit oiseau au bec long et effilé se pose régulièrement sur l'eau et nage souvent en dessinant des cercles. Sa présence en grand nombre a surtout été remarquée, au début de juin, dans le secteur de l'île Nue de Mingan.

Le charme des oiseaux terrestres

Plusieurs espèces d'oiseaux aux formes et aux couleurs variées s'associent à la lande, à la tourbière et à la forêt coniférienne. Leur faible taille et leurs ailes elliptiques leur confèrent une grande agilité dans la forêt où ils doivent effectuer des virages rapides, des atterrissages et des décollages fréquents. Leur régime alimentaire se compose habituellement d'insectes et de petits fruits sauvages bien que certains, comme les rapaces, se nourrissent de poissons, de petits mammifères et même d'oisillons abandonnés quelques instants par leurs parents. Leurs chants contrastent vivement avec les cris perçants des oiseaux marins et apportent une note de douceur et de sérénité au concert retentissant des aurores et crépuscules printaniers. Parmi les groupes les plus représentatifs des îles de Mingan figurent les fauvettes, les pinsons et les rapaces.

D'aspect menu et délicat, les fauvettes fréquentent les forêts et les zones les plus abritées des landes. Comme elles se différencient par de légères nuances dans la coloration de leur plumage, c'est pendant la saison des amours qu'il est le plus facile de les identifier, alors que le mâle porte ses plus belles couleurs. Leur observation requiert toutefois un peu d'expérience, car les fauvettes se déplacent constamment d'une branche à l'autre. Ces petits oiseaux se tiennent rarement au sol, sauf par temps froid. Ils construisent leur nid dans les conifères à 4 ou 5 m de hauteur. L'incubation assurée presque entièrement par la femelle dure de 12 à 15 jours. À la fin de l'été, les fauvettes entreprennent leur migration pour passer l'hiver dans des régions plus chaudes. Dans l'archipel de Mingan, les espèces les plus couramment observées sont: la fauvette verte à gorge noire, la fauvette obscure, la fauvette rayée et la fauvette à croupion jaune.

Apparentés au moineau domestique, les pinsons sont légèrement plus gros que les fauvettes et de coloration beaucoup plus terne (brun). Leur menu se compose généralement d'insectes, de graines et de divers petits fruits sauvages. Contrairement aux fauvettes, les pinsons se tiennent habituellement près du sol pour se nourrir et se reproduire. Ils nous arrivent très tôt le printemps (début mai), nichent dans l'archipel au cours de l'été et repartent vers les régions plus clémentes au début d'octobre. Le pinson à gorge blanche, le pinson fauve, le pinson de Lincoln, le pinson des prés et le pinson chanteur comptent parmi les espèces les plus répandues en Minganie.

Le **pinson à gorge blanche**, surnommé le « Frédéric », se rencontre sur toutes les îles boisées de l'archipel. Le **pinson fauve** et le **pinson de Lincoln** se tiennent également dans la forêt, mais aussi parmi les arbres rabougris de la lande et même en bordure des tourbières ou des marais salés. Le pinson de Lincoln fréquente particulièrement le marais salé de l'île Saint-Charles et trahit sa présence par un trémolo qui ne trompe pas. Enfin, le **pinson des prés** et le **pinson chanteur** habitent surtout dans les landes de l'île Nue de Mingan et des îles aux Perroquets.

Quoique moins abondants, d'autres oiseaux nous signalent par des chants variés ou des cris caractéristiques leur présence dans les forêts de l'archipel. Parmi eux, mentionnons les grives et la sitelle à poitrine rousse. La **grive à dos olive**, qui préfère, contrairement à la plupart des grives, les forêts coniférriennes, niche sur presque toutes les îles boisées. De stature supérieure à celle du pinson, elle possède un bec effilé, un dos olive, un cercle blanc autour des yeux, alors que la partie supérieure de sa gorge est tachetée de légers points bruns. Le jour, la grive à dos olive reste silencieuse, tandis que tôt le matin et à la tombée du jour, elle émet un chant mélodieux qui agrémente l'ambiance sereine des îles.

Tout comme la grive, la **sitelle à poitrine rousse** s'établit dans la forêt. Elle porte une calotte noire ainsi qu'une rayure blanche au-dessus de l'oeil. Comme son nom le révèle, son ventre est roux. On la voit souvent prospecter les arbres du sommet à la base à la recherche d'insectes.

Les rapaces

C'est un fait bien connu que la vue est un sens très bien développé chez les oiseaux et tout spécialement chez les rapaces, où elle atteint une étonnante précision. Leur acuité visuelle surpasse d'environ huit fois celle de l'homme, ce qui leur permet de discerner clairement une proie de la taille d'un lièvre à plus d'un kilomètre de distance. À cette étonnante capacité s'ajoutent des serres et des griffes puissantes, facilitant la capture de leurs victimes, ainsi qu'un bec fortement crochu, permettant de les dépecer. Grâce à leurs ailes longues et larges ils peuvent planer sans effort pendant plusieurs heures en guettant le moment propice pour passer à l'attaque. Deux rapaces diurnes sont bien représentés dans l'archipel: l'aigle pêcheur et le faucon émérillon.

L'**aigle pêcheur** se distingue des buses par ses longues ailes effilées. Celles-ci portent de plus sur leur face inférieure de longues taches blanches, particulières à cette espèce. On aperçoit habituellement l'aigle pêcheur en bordure de la mer où il est probablement à la recherche de poissons. Avec un peu de chance, on peut même le voir fondre sur une proie en éclaboussant l'eau. C'est un spectacle fort impressionnant. Cet aigle niche au sommet de grosses épinettes blanches et il y a en moyenne un couple sur chaque île dominée par la forêt.

Par sa faible taille, le **faucon émérillon** ne peut se confondre avec les autres rapaces diurnes, alors que ses ailes pointues le différencient de l'épervier brun (photo n° 140). Il construit généralement son nid dans la partie supérieure d'un conifère situé en bordure de la forêt. Il peut aussi employer le nid abandonné d'une autre espèce, comme celui de la corneille américaine, ou s'installer dans un arbre creux. Cet oiseau a été observé sur plusieurs îles, dont l'île Sainte-Geneviève, l'île Saint-Charles, la partie sud-est de La Grande Île et l'île du Havre de Mingan.

Dans les habitats variés de l'archipel plusieurs autres oiseaux élisent domicile: corneilles, pics-bois, mésanges, jaseurs des cèdres et bien d'autres encore. Depuis 1861, 143 espèces ont été observées. La plupart de ces oiseaux fréquentent les îles annuellement tandis que d'autres y sont des passagers peu fréquents ou rares.

Que l'on soit chasseur, naturaliste ou simple visiteur, la faune ailée de l'archipel de Mingan constitue un autre de ses attraits remarquables. Elle nous offre « dans un décor de liberté » une présence animée et pleine de charme.

Vie marine et faune ailée

91
Vertes, rouges ou brunes, les algues égaient les platiers rocheux soumis au flux et au reflux des marées.

92
Les fucales dominent dans la zone découverte à marée basse. À droite, on reconnaît les réceptacles gonflés du *Fucus vesiculosus* et à gauche, ceux plus effilés du *F. edentatus*.

93
L'*Ascophyllum nodosum*, une algue grêle parcourue de nombreuses vésicules arrondies, caractérise les milieux abrités.

94
La zonation suivante s'observe couramment à la limite des basses mers: au sommet, les touffes vertes du *Spongomorpha*, puis les rameaux blanchis de l'*Halosaccion* et enfin, les longues lames des *Alaria*.

95
Au tout début du littoral inférieur se déploient avec grâce les limbes ondulés des *Alaria* ainsi que les filaments enchevêtrés des *Chordaria*.

96
Chaque cadavre d'oursin vert porte 2 ouvertures; la plus grande correspond à la bouche et la plus petite, à l'anus. Les petits tubercules disposés en rangées radiales constituent les points d'attache des épines.

97
Les algues corallines encroûtent les roches et atteignent de grandes profondeurs (20 à 30 m). Les unes sont lisses (*Clathromorphum sp.*), les autres mamelonnées (*Lithothamnium sp.*). Elles sont fréquentes dans les cuvettes bordant le niveau des basses mers.

91

92

93

94

96

95

97

98
L'oursin vert, le brouteur d'algues par excellence, s'attaque aux laminaires et dénude peu à peu le substrat rocheux, délaissant tout au plus quelques algues corallines.

99
Sur cette vue aérienne, la délimitation abrupte des algues sous-marines marque la progression du front d'oursins verts.

100
Le concombre de mer se nourrit principalement de zooplancton qu'il capte à l'aide de ses tentacules très ramifiés. Pour aspirer sa nourriture, le concombre n'a plus qu'à introduire un après l'autre ses tentacules dans sa bouche.

101
En se déplaçant, ce buccin commun a laissé derrière lui un léger sillon dans le sable. Au premier plan, on discerne un oursin plat de couleur pourpre.

102
Le buccin commun libère une grande quantité d'oeufs qu'il enveloppe dans de petites cases parcheminées, soudées les unes aux autres. À proximité, on aperçoit une anémone rouge du Nord.

103
L'étoile annelée doit son nom à la pigmentation concentrique de son épiderme.

104
Cette étoile annelée, retournée par un plongeur, mange une étoile de mer à six bras. On distingue bien les poches membraneuses de son estomac (couleur crème) expulsées à l'extérieur de son corps; les parties blanchâtres de la victime sont presque complètement digérées.

98

99

100

101

104

102

103

105
L'étoile pourpre entourée de plusieurs oursins verts contraste vivement sur le substrat terne des fonds sableux et caillouteux.

106
Les crevasses des falaises sous-marines fourmillent d'ophiures épineuses qui agitent leurs bras pour filtrer leur nourriture. Au bas de la paroi se détache une grosse pêche de mer.

107
La bolténie sur pied est un filtreur sédentaire qui privilégie les substrats rocheux.

108
L'anémone chevelue est fort gracieuse avec sa collerette de tentacules soyeuses bien adaptées pour la filtration d'organismes minuscules.

109
La méduse ou « soleil de mer » circule avec aisance dans les eaux de l'archipel.

110
L'anémone rouge du Nord est beaucoup plus robuste que sa consoeur, l'anémone chevelue. C'est un prédateur passif qui attend au bas des falaises la chute de ses proies. À l'arrière plan se détachent les fines ramifications d'un bryozoaire rigide.

105

106

107

109

108

110

5 Le littoral marin

111
À la proue d'un bloc rocheux se dresse un magnifique spécimen d'éponge digitée. Cet invertébré sédentaire filtre les bactéries en suspension dans l'eau de mer et s'installe de préférence dans les zones de courant.

112
Une étoile de mer à six bras à la recherche d'un bivalve enfoui.

113
Retournée par un plongeur, cette même étoile de mer montre un grand nombre de petits tubes érectiles, nommés podia. C'est à l'aide de ces podia que les étoiles de mer creusent dans le substrat meuble pour dénicher leurs proies. Le bivalve convoité ici était une mactre d'Amérique.

111

6 La mer

114
Une morue fait une pause dans cette anfractuosité rocheuse tapissée de bryozoaires.

115
Camouflé parmi les anémones chevelues, le chaboisseau attend sans doute le passage d'une proie.

116
Le capelan est un petit poisson effilé qui aime à l'occasion nager dans les eaux peu profondes. Il constitue une proie facile pour les oiseaux marins.

117
Le sébaste doré est le poisson le plus coloré de nos eaux.

112

113

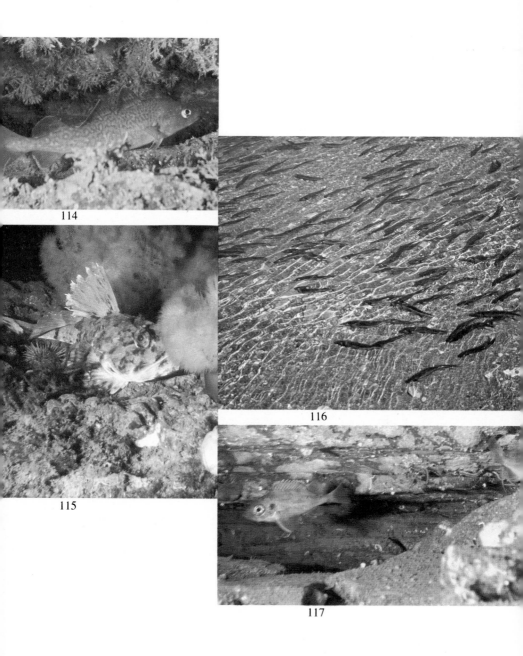

114

115

116

117

118

Dans l'archipel, il est fréquent de voir pointer hors de l'eau la petite tête curieuse du phoque gris. La longueur de son museau lui a valu le surnom de «tête de cheval».

119

Le petit rorqual, surnommé «le baleineau», est le plus court des rorquals. Sa taille réduite ainsi que sa nageoire dorsale effilée et arquée vers l'arrière permettent de le reconnaître à coup sûr.

120

Le dauphin à nez blanc est très exubérant et effectue parfois des sauts spectaculaires accompagnés de rotations. Les bandes pâles locali- sées de part et d'autre de sa nageoire dorsale sont typiques de cette espèce.

121

Le rorqual commun circule parfois dans la partie ouest des îles de Mingan. Trois fois plus long que le petit rorqual, il arque, comme celui-ci, son dos en plongeant.

122

L'épaulard, un visiteur rare dans l'archipel.

123

Lorsqu'il plonge, le rorqual bleu exhibe parfois sa queue d'une largeur impressionnante de 5 à 8 m.

118

119

120

121

123

122

6   La mer

124

Le rorqual à bosse exécute fréquemment des sauts hors de l'eau. Sa longue nageoire pectorale blanche le différencie aisément des autres rorquals.

125 et 126

Chez le rorqual à bosse, l'identification des individus se fait grâce au patron de coloration de la surface ventrale de la queue.

7   La faune ailée

127

Le goéland argenté abonde en Minganie, mais plus particulièrement dans les milieux ouverts de la partie ouest de l'archipel.

128

Le goéland à manteau noir, surnommé «l'anglais», représente tout au plus 3% du nombre total des goélands présents dans l'archipel.

129

Quelques jeunes mouettes tridactyles demeurent au nid en attendant le retour de leurs parents.

130

La sterne commune niche principalement sur l'île de la Maison et sur l'île à Calculot.

124

125

126

127

128

129

130

131
Un gode effectue une tournée
rapide des environs.

132
Un groupe de guillemots noirs
errant paisiblement sur la mer.

133
Les perroquets de mer aiment
se rassembler en « club » sur les
rochers au bord de la mer.

134
Plusieurs femelles d'eiders à
duvet accompagnées d'un mâle au
plumage éclatant.

135
Les cormorans construisent leur
gros nid dans les arbres. Chaque
nid est occupé par 2 ou 3 jeunes.

136
Le bécasseau semi-palmé.

137
La maubèche branle-queue.

131

132

133

134

136

135

137

138
Le grand chevalier à pattes jaunes.

139
Le tourne-pierre roux est facile à identifier grâce au patron de coloration de sa tête et de son cou.

140
Au sommet d'un conifère séché le faucon émérillon est à l'affût.

138

139

140

8.
L'occupation humaine d'origine européenne

Après avoir effectué un survol des temps géologiques, prospecté la diversité des paysages de l'archipel, il convient maintenant de se demander de quelle façon l'homme a utilisé au fil des siècles les ressources exceptionnelles de ce milieu. Notre étude se limitera ici à l'occupation humaine d'origine européenne, ce qui ne nie pas pour autant la présence amérindienne dans la région. Ce sujet pourra être approfondi lorsque seront publiés les résultats des recherches effectuées en collaboration avec le Conseil Attikamack Montagnais.

Dans ce chapitre, l'histoire de la Minganie se subdivise en six périodes, chacune d'elle reflétant un changement dans la nature des ressources convoitées ou encore dans la modalité de leur exploitation. Ainsi, au cours de certaines périodes, les fourrures furent davantage recherchées, alors qu'avec la colonisation les ressources de la mer passèrent au premier plan. L'utilisation des îles varia elle aussi, s'ajustant de façon très étroite aux activités pratiquées sur la côte. Aussi, pour comprendre la petite histoire de l'archipel de Mingan, faut-il nécessairement relater dans ses grandes lignes celle de toute la région.

« Sur l'océan d'un temps fini
Souffle le vent de la mémoire
Passant la porte de l'oubli
Pour y chercher un peu d'histoire »

> *Roland Jomphe,*
> *« Sous le vent de la mémoire ».*

Le temps des reconnaissances (1500-1661)

Cette première période de l'histoire nous fait remonter à l'époque aventureuse des bateaux à voiles lancés au hasard des vents sur l'océan Atlantique. Sa reconstitution reste floue pour la région puisqu'elle repose sur une information minimale, portant sur une aire géographique étendue, incluant souvent tout le golfe du Saint-Laurent ou toute la côte du Labrador. Précisons qu'à ce moment, la côte du Labrador comprenait un territoire plus vaste qu'à présent, puisqu'elle englobait l'actuelle Basse et Moyenne Côte-Nord. Ces contrées poissonneuses devaient un jour ou l'autre attirer les pêcheurs européens, à la recherche de prises abondantes et faciles. Mais, qui furent les véritables pionniers qui posèrent un regard neuf sur ces terres inconnues?

Les précurseurs
Les premiers Européens à traverser l'océan Atlantique pour aborder en Amérique du Nord furent probablement les Vikings et ce, peut-être même avant l'an 1000 de notre ère. Toutefois, leur présence ne serait attestée qu'à Terre-Neuve et rien ne prouve encore qu'ils aient fréquenté la Côte-Nord quoi qu'en prétendent les croyances populaires. Quelques siècles passèrent sans laisser d'indices probants de la venue d'autres navigateurs sur nos côtes. Puis, débuta enfin l'ère des grandes explorations officielles. À tour de rôle, plusieurs pays entrèrent dans la course: l'Angleterre avec Jean Cabot (1497), le Portugal avec les frères Cortéréal (1501 et 1502), l'Espagne avec Estavan Gomez (1524-1526), puis la France avec Verrazano (1524) et bien sûr Jacques Cartier (1534 et 1535). Bien qu'on associe couramment le nom de Jacques Cartier à la découverte du Canada, il semble que ce soit plutôt les frères Cortéréal qui longèrent les premiers la côte du Labrador. C'est du moins ce que révèle une carte datant de 1529, reproduite dans Biggar (1913) et sur laquelle ce grand territoire est désigné sous le nom bien approprié de *Tierra de Los Bacallaos*, qui signifie «terre de morues». Jacques Cartier conserve néanmoins le grand mérite d'avoir pénétré en éclaireur dans l'estuaire du Saint-Laurent et d'avoir légué des documents écrits détaillés sur ses voyages. Au cours de son second périple, il fait même une halte dans l'archipel de Mingan. Il en profite pour rédiger un texte rapporté par Biggar (1924) et qui, en français contemporain, peut se lire ainsi:

«*Et le lendemain* (lundi 10 août 1535) *le vent était contraire, et comme nous ne trouvions pas de havre le long de cette côte du sud* (île d'Anticosti), *nous mîmes le cap vers le nord et après avoir parcouru une dizaine de lieues, nous trouvâmes une fort belle et grande baie, parsemée d'îles offrant de nombreuses anses où il était possible de mouiller, même par mauvais temps* (archipel de Mingan). *Pour reconnaître cette baie, il y a une grande île* (probablement l'île Sainte-

Tableau 7
Nature des ressources exploitées et utilisation de l'archipel au cours
des différentes périodes de l'histoire de la Minganie

Période	Ressources	Utilisation de l'archipel
Pêcheurs européens (1500-1661)	Baleine, morue, traite des fourrures	Fours présumés basques
Seigneuries (régime français 1661-1760)	Traite des fourrures, loup-marin, saumon	Poste de traite
Compagnies (régime anglais 1760-1850)	Traite des fourrures, saumon, loup-marin	Poste de traite
Peuplement permanent (1850-1872)	Morue, saumon, hareng, loup-marin	Abri pour les goélettes et exploitation de ressources secondaires
Villages de pêcheurs (1872-1935)	Morue, saumon, trappe, élevage du renard	Élevage du renard, homardières et exploitation des ressources secondaires
Ère industrielle (1935 à nos jours)	Mine, services gouvernementaux et privés, tourisme	Loisirs

Geneviève), *semblable à un cap de terre, qui s'avance plus que les autres, et sur la côte, à environ deux lieues de là, se dresse une montagne qui ressemble à un tas de blé* (mont Sainte-Geneviève). *Nous nommâmes cette baie, la baie Saint-Laurent.* »

Le nom de cette petite baie fut choisi pour souligner la fête de Saint-Laurent, célébrée justement le 10 août. Par erreur, les cartographes chargés de redessiner les cartes de Cartier ont transposé à l'ensemble du golfe ce toponyme qui s'est par la suite étendu à notre majestueux fleuve. Le nom du Saint-Laurent, si familier à tous aujourd'hui, est donc l'écho d'une imprécision et se relie paradoxalement à l'histoire du minuscule archipel de Mingan!

Les retrouvailles annuelles

Les grands bancs de Terre-Neuve ont très tôt représenté une valeur sûre pour les pêcheurs européens qui se mirent également à exploiter les ressources de la région du détroit de Belle-Isle, de la côte sud du Labrador et de tout le golfe du Saint-Laurent. Ces pêcheurs étaient principalement des Normands et des Bretons originaires de la France, ainsi que des Basques établis aussi bien sur la côte française qu'espagnole. Selon la plupart des historiens, leur présence sur nos côtes remonte vers la fin du XVe ou le début du XVIe siècle. Jacques Cartier dans ses récits relate d'ailleurs sa rencontre, en 1534, avec un navire de pêche en provenance de La Rochelle (Julien, 1946).

Moins motivées par la curiosité que par l'appât du gain, leurs pérégrinations saisonnières s'inséraient dans un système déjà établi d'exploitation des ressources. Ce système s'organisait autour de trois activités principales: la pêche sédentaire à la morue, la chasse aux gros et petits mammifères marins ainsi que la traite des fourrures avec les Amérindiens (Trudel, 1978b).

La pêche à la morue était pratiquée autant par les Français que par les Basques. Tandis que les premiers préféraient ramener la morue verte, les seconds rapportaient de préférence la morue séchée, ce qui impliquait l'établissement d'installations plus élaborées sur la terre ferme. Pour cette raison, les Basques nous ont laissé plus de traces de leur passage. Ainsi, on sait que c'est surtout à partir de 1545 qu'ils commencèrent à venir exploiter chaque année les ressources de la Côte-Nord. S'ils n'étaient pas les seuls à venir pêcher dans ces eaux, il semble qu'ils étaient cependant les plus spécialisés, s'il faut en croire Nicolas Denis, un auteur du XVIIIe siècle. Pendant que les bateaux bretons et normands jaugeaient entre 50 et 100 tonneaux, les Basques employaient des navires de 200 à 400 tonneaux avec des équipages de 40 à 70 hommes. Utilisant la technique du séchage, les Basques construisaient pour la saison de pêche des cabanes sur le littoral et d'autres installations nécessaires à la transformation et à la conservation de la morue. Une carte des opérations basques dans le golfe du Saint-Laurent, dressée par Mgr René Bélanger (1971), identifie « Mingain » (Mingan) comme un lieu de pêche. Cependant, rien ne permet de préciser si les Basques occupaient au cours de l'été cet emplacement qui correspond à l'actuel village de Longue-Pointe.

Par contre, il semble que l'archipel de Mingan fut bel et bien le centre d'activités reliées à la chasse à la baleine et aux autres mammifères marins. La présence sur deux îles de fours probablement utilisés par les Basques corrobore cette hypothèse (fig. 46). Sur l'île Nue de Mingan ces fours profilent des buttes en forme de fer à cheval, alors que celui localisé sur l'île du Havre de Mingan est beaucoup plus détérioré et difficile à repérer. Ces installations servaient à faire fondre la graisse des baleines capturées dans les parages. L'huile ainsi obtenue était fort prisée à l'époque comme produit alimentaire, à titre de lubrifiant ou pour la fabrication du savon. Les baleines étaient également appréciées pour leur chair comestible, pour leur ambre gris, recyclé dans la parfumerie, et pour leurs fanons qui étaient transformés en menus objets. Enfin, les autres mammifères marins recherchés par les Basques étaient le morse et le loup-marin, dont on exploitait le cuir, l'huile et l'ivoire.

Vers la fin du XVIe siècle, l'utilisation des fours par les Basques connut un déclin rapide. Bélanger (1971) explique cette récession par la conjoncture des circonstances suivantes: la raréfaction des baleines, la concurrence des Anglais et des Hollandais, ainsi que les conflits entre Basques et Inuits. Mais

46
Les vestiges de ce four présumé basque rappellent les périples annuels des premiers pêcheurs européens qui vinrent vers le début du XVIᵉ siècle exploiter les ressources marines de nos côtes (île Nue de Mingan, R. Audet).

ce fut surtout l'implantation à bord des navires d'une nouvelle technique d'extraction d'huile qui clôtura définitivement cette activité aux environs de 1635 (Trudel, 1978a et 1978b).

Axés au départ sur l'exploitation des ressources de la mer, Basques et Français comprirent peu à peu l'intérêt de s'engager dans une troisième avenue tout aussi prospère: le commerce des fourrures. Dans ce but, il semble même que les Européens soient entrés assez tôt en contact avec divers groupes amérindiens. Au départ, ces contacts furent établis de façon accidentelle, tel ce groupe rencontré par Jacques Cartier au Cap Thiennot, près de Natashquan (Trudel, 1978b). Par la suite, on croit que les relations avec les Amérindiens se sont rapidement institutionnalisées, car ces derniers ont très vite apprécié les articles fabriqués en métal, tandis qu'en Europe il se créait une demande croissante pour les fourrures rapportées d'Amérique. La traite des fourrures fut pendant un certain temps une activité complémentaire des morutiers et baleiniers européens. Mais à partir de 1580 environ, les Européens commencèrent à organiser des expéditions qui se concentraient principalement dans ce type de commerce.

Vers la fin du XVIᵉ siècle, le Roi de France accorda des monopoles sur la traite des pelleteries. Cette politique favorable aux Français créa des tensions dans les relations entre les Basques et les autorités françaises (Bélanger, 1971). L'importance que les Basques accordaient au commerce des fourrures est cependant mal connue. Des fouilles archéologiques réalisées dans l'archipel de Mingan pourraient peut-être nous éclairer à ce sujet, en précisant de quelle façon les Basques utilisaient leurs établissements, et dans quelle mesure ils combinaient la chasse aux mammifères marins, la pêche à la morue et le commerce des fourrures. Quoi qu'il en soit, les Basques, qui n'étaient ni des explorateurs au service de leur pays, ni des colons désireux de s'installer à demeure, durent céder aux Français leurs emplacements sur la Côte-Nord vers 1653, moment où la suprématie coloniale de la France lui permit d'instaurer un régime de seigneuries et de concessions.

La tenure seigneuriale sous le régime français (1661-1760): une affaire de famille

Sous le nouveau régime français, les navires de pêche européens continuèrent leurs activités estivales dans le golfe. Parallèlement, on assistait à la création d'un système d'exploitation basé sur la tenure seigneuriale. Riche d'un nouveau continent, le Roi de France se mit à octroyer, par l'intermédiaire de ses représentants locaux, des droits et des privilèges sur des portions plus ou moins bien délimitées de son territoire. Ces concessions étaient accordées à certains individus en reconnaissance de services rendus ou simplement par favoritisme. D'un côté, il y avait les seigneurs qui acquéraient des droits de propriété à vie transmissibles à leurs héritiers, et de l'autre, les concessionnaires qui obtenaient des droits particuliers d'usage et de fermage pour une durée limitée. Dans les deux cas, ces droits leur donnaient l'exclusivité quant à la traite des fourrures et à la chasse aux loups-marins, mais non pour la pêche à la morue, qu'ils pouvaient néanmoins exercer en concurrence avec les navires français (Charest, 1975). C'est donc dans ce contexte bien particulier que la Minganie, rattachée à deux seigneuries distinctes, fut tout d'abord concédée puis, au gré des bénéficiaires, léguée et parfois même louée.

Tout commença en 1661, avec l'octroi à François Bissot de la Seigneurie de l'Île aux Oeufs, connue aussi sous le nom de Terre Ferme de Mingan. Cette vaste seigneurie comprenait, exception faite des îles, une bande côtière qui s'étendait depuis Tadoussac jusqu'à la baie de Bradore située près de Blanc-Sablon. Dès 1662, Bissot y installa un établissement pour la traite des fourrures. Celui-ci se localisait au fond d'une petite anse sableuse jouxtant l'actuel port de Mingan. Ainsi que le révèlent les fouilles archéologiques réalisées par Chism (1980), ce poste servait également de base pour la pêche, pour l'exploitation de la graisse des mammifères marins et pour le troc avec les Amérindiens. Sans s'être beaucoup enrichi, Bissot mourut en 1673, léguant sa concession à sa femme, Marie Couillard. Deux ans plus tard, celle-ci se remariait avec Jacques de Lalande tandis que sa fille Geneviève épousait Louis Jolliet. Ces deux mariages inaugurèrent un commerce des fourrures beaucoup plus florissant. Ambitieuses, les deux familles visèrent même le monopole de cette activité dans le secteur de l'Anticosti — Minganie. En 1679, Louis Jolliet et Jacques de Lalande s'assuraient d'ailleurs de façon plus concrète le contrôle de la région, en obtenant la Seigneurie des Îles et Îlets de Mingan avec toutes celles qui se suivent jusqu'à la baie de Bradore.

C'est probablement à l'été 1680 que Louis Jolliet construisit un poste de traite à l'extrémité est de l'île du Havre de Mingan. Des fouilles effectuées sur l'île en 1966 et 1967 ont permis de dégager les bases de deux maisons ainsi que leur cave attenante. On croit que la maison la plus grande tenait lieu de magasin tandis que la plus petite servait de logis à Louis Jolliet lors de ses séjours (Lévesque, 1971). Le poste fut détruit une première fois en 1690 par les Anglais et reconstruit en 1692. Il serait resté en fonction jusqu'à ce que Jolliet l'abandonne en 1697 pour opérer uniquement sur la côte, ou jusqu'à sa seconde destruction par les Anglais en 1712. Les fouilles archéologiques récentes ont de plus mis à jour sur l'île à Bouleaux de Terre les vestiges d'un autre établissement datant de la même époque. Selon Chism (1980), ce poste aurait peut-être été construit par Jean Jolliet, le fils de Louis Jolliet.

Les droits seigneuriaux ainsi créés par ces familles furent maintenus et transmis tout au cours du régime français et même pendant une grande partie du régime anglais. Lorsque les seigneuries n'étaient pas directement mises en valeur par leurs tenanciers, elles étaient louées à des exploitants. Ainsi, de 1736 jusqu'aux environs de 1752, c'est un certain Jean-Louis Voland qui exploita le poste de Mingan moyennant 300 livres annuellement.

Certes tout cela laisse beaucoup de place à l'imagination pour reconstituer les détails de la présence européenne en Minganie pendant cette période. Néanmoins, toutes les sources s'accordent pour reconnaître un rôle central à la traite des fourrures, et il semble très probable que les postes établis aient été surtout de type commercial. Même si la présence européenne durant le régime français s'est maintenue de façon assez constante, elle ne donna pas lieu dans ce secteur à des formes importantes de développement local. Vers la fin du régime français (1760), les détenteurs des seigneuries de l'Île aux Oeufs et des Îles et Îlets de Mingan résideront presque toujours à l'extérieur et préféreront gérer de loin l'exploitation de leur concession.

L'ère des compagnies sous le régime anglais (1760-1850)

L'instauration du nouveau régime anglais modifia peu la nature des activités commerciales exercées le long de la Côte-Nord, car celles-ci restèrent essentiellement centrées sur la traite des fourrures. Toutefois, les postes de traite et de pêche passèrent rapidement aux mains des Britanniques accourus à Québec et à Montréal dans le but très évident de s'enrichir. Les droits seigneuriaux, qui avaient été transmis jusqu'ici par héritage, devinrent peu à peu l'objet de ventes, de dons ou d'échanges. Enclins à l'expansion, les individus qui en bénificiaient, des hommes d'affaires sans lien de parenté, se regroupèrent très tôt pour former des compagnies. Ce nouveau cadre institutionnel modifiait en fait peu de chose puisqu'il permettait toujours à un petit groupe de privilégiés, marchands ou politiciens, de profiter de leur monopole sur les ressources locales. Les frais encourus pour l'exploitation de celles-ci se révélaient, en outre, minimes puisqu'il s'agissait d'entretenir uniquement de petits comptoirs d'échange avec les Améridiens, somme toute peu exigeants. Les profits réalisés semblaient intéressants puisqu'ils rétribuaient des bénéficiaires de deux niveaux: les exploitants directs, le plus souvent locataires des droits d'exploitation, ainsi que les titulaires ou prétendants à ces droits.

Relater toutes les péripéties entourant les transactions effectuées sur ces droits seigneuriaux en Minganie se révélerait sans doute plus ennuyeux qu'instructif. En ce qui concerne les droits de la Seigneurie des Îles et Îlets de Mingan, le fil des ententes conclues reste malgré tout assez simple à suivre. Acquis au départ par Louis Jolliet et Jacques de Lalande, ils furent directement légués à leurs héritiers pour passer en 1781 à deux commerçants anglais: W. Grant et T. Dunn. Par la suite, les titulaires se succédèrent comme suit: W. Grant seul en 1804, J. Richardson avec ses associés de la «Labrador New Concern» en 1810 et, finalement, la Compagnie de la Baie d'Hudson en 1836. Durant cette période, l'occupation réelle des îles de Mingan fut très limitée, se résumant à l'installation d'un poste de traite sur l'île du Havre vers 1807 par la «Labrador New Concern» ou la Compagnie de la Baie d'Hudson; cela reste encore incertain. Ce poste ne fonctionna que quelques années et ne fut pas remplacé par la suite.

L'histoire des droits sur la terre ferme, soit sur l'initiale Seigneurie de l'Île aux Oeufs, se révèle beaucoup plus complexe. D'ailleurs, elle repose dès le départ sur une ambiguïté, puisque François Bissot n'avait acquis, rappelons-le, que des droits d'usage sur une seigneurie qui n'avait jamais été créée aux termes de la loi. Repris par ses descendants au cours du régime français, ces privilèges continuèrent de l'être sous le régime anglais par le biais d'un extraordinaire grenouillage accompagné de jugements de cour maintes fois contestés (Fortin, 1979). Parmi les prétendants à ces droits, figuraient quelques-uns des acquéreurs des îles de Mingan, notamment W. Grant, T. Dunn et J. Richardson. Vers la fin du régime anglais, c'est la Compagnie de la Baie D'Hudson qui se proclamait maître des lieux, et il faudra attendre en 1950 pour que l'État québécois puisse enfin récupérer la totalité de ce territoire côtier.

La Compagnie de la Baie d'Hudson chercha à cette époque à diversifier ses activités en Minganie, adjoignant à la traite des fourrures la chasse intensive au loup-marin ainsi que la pêche au saumon. Sa présence se fit sentir auprès des Amérindiens, mais également auprès des pêcheurs gaspésiens et madelinots qu'elle empêcha de s'installer à proximité de ses postes de traite et de pêche, en ayant parfois recours à la violence (Charest, 1971). Cependant, elle ne put le faire très longtemps, et bientôt s'amorça une nouvelle phase historique: celle de la colonisation.

Les bâtisseurs (1850-1872)

Au cours du XIXe siècle, le golfe du Saint-Laurent était activement fréquenté par divers pêcheurs itinérants, en provenance des États-Unis, des provinces Maritimes, des Îles-de-la-Madeleine ou de la Gaspésie. Les Américains, entre autres, y venaient en grand nombre comme le laisse entendre cet écrit, en date du 14 juillet 1857, du capitaine Fortin chargé de la protection des pêcheries à partir de 1852: « *nous rencontrons treize goélettes dont 10 des États-Unis et les autres de la Nouvelle-Écosse, s'occupant à la pêche de la morue sur le banc de Mingan.* »

Les Madelinots et les Gaspésiens se montrèrent, par ailleurs, de plus en plus attirés par les ressources de la Moyenne Côte-Nord et manifestèrent jusqu'au désir de s'y installer. Harcelés par les représentants de la Compagnie de la Baie d'Hudson, ils ne tardèrent pas à formuler des plaintes auprès du gouvernement. Leurs pressions ne furent sans doute pas étrangères à la législation de 1854, autorisant le peuplement libre dans cette région, et à celle de 1858, abolissant les privilèges de la Compagnie de la Baie d'Hudson sur les rivières à saumon exploitées de façon abusive.

La Moyenne Côte-Nord, qui n'avait été jusqu'ici que le théâtre d'installations provisoires, s'ouvrit donc peu à peu à diverses formes de peuplements permanents. Les nouveaux arrivants se rattachaient principalement à trois groupes ethniques: les Acadiens, les Canadiens français et les Jerseyais. Précisons que ces derniers étaient des francophones protestants originaires de petites îles situées entre la France et l'Angleterre.

Des Jerseyais spéculateurs

Les moins nombreux furent les Jerseyais qui, en revanche, se distinguèrent en implantant dans la région un système d'exploitation fort bien structuré pour la pêche à la morue. Celui-ci, baptisé plus tard le « système Robin », s'articulait autour de quatre composantes principales: des établissements de pêche à la morue, des comptoirs commerciaux associés à ces derniers, une flotte de navires de commerce et une banque située à Jersey (Charest, 1975). La main-d'oeuvre se composait de pêcheurs engagés à part, mobiles et à qui on fournissait tout l'équipement ainsi que les biens de consommation. La compagnie achetait aussi les produits de petits pêcheurs indépendants qu'elle maintenait néanmoins sous sa tutelle grâce à un régime de troc et de crédit. Dans l'ensemble, ce système d'exploitation était très astucieux; en contrôlant les prix des produits marins mis en marché à l'extérieur, ainsi que ceux des biens ramenés et troqués avec les pêcheurs, la compagnie réalisait en fait un double profit, tout en rentabilisant au maximum ses navires de transport chargés aussi bien à l'aller qu'au retour. Sur la Côte-Nord, la présence des compagnies jerseyaises se manifesta surtout à l'ouest de l'archipel, en particulier à Sheldrake, à Rivière-au-Tonnerre, à Magpie, à Rivière-Saint-Jean de même qu'à Longue-Pointe et à Natashquan. Elle se limitait en fait à un petit nombre d'individus; les uns agissaient pour le compte de compagnies installées ailleurs alors que les autres étaient munis d'un certain capital et déjà expérimentés dans ce domaine.

Des Canadiens français d'origine composite

Ces compagnies embauchèrent plusieurs Canadiens français en provenance surtout de la Baie des Chaleurs (Grande-Rivière, Port-Daniel et Paspébiac). La plupart venaient simplement pour la saison de pêche; on en comptait plusieurs centaines chaque année installés pour l'été dans des «cookrooms», et même jusqu'à 2 000 par été, si on considère toute la Moyenne Côte-Nord (Charest, 1975). De ce nombre, plusieurs réussirent à trouver les ressources et les motivations suffisantes pour demeurer sur place avec leur famille et pour devenir plus ou moins autonomes. C'est à ces familles que revient la fondation du village de Longue-Pointe, choisi dès 1858 comme lieu estival de pêche à la morue par la compagnie jerseyaise «Hamilton et Fauvel» (Archéotec, 1979). En 1864, Longue-Pointe comptait 10 familles et constituait un site de pêche très populaire. Par la suite, son importance diminua progressivement.

À ces Canadiens français de la Baie des Chaleurs s'en ajoutèrent d'autres d'origine plus composite, notamment de la Gaspésie, de Charlevoix (La Malbaie, Baie-Saint-Paul) et de la Rive-Sud (Saint-Vallier, Berthier). Ces aventuriers, attirés par les possibilités d'une vie nouvelle sur une terre presque vierge, s'établirent surtout à l'embouchure des rivières à saumon. Souvent isolés ou tout au plus accompagnés par leur famille, ils furent à la fois pêcheurs de saumon, pêcheurs de homard ou chasseurs. Le village de Baie-Piashti, connu aujourd'hui sous le nom de Baie-Johan-Beetz, nous rappelle ces familles pionnières puisque ce sont des Tanguay originaires de Berthier-sur-Mer qui y vécurent les premiers. Auparavant, ils avaient habité à Petite-Rivière-Wastshichu, un poste situé un peu plus à l'est. Ils demeurèrent à Baie-Piashti une dizaine d'années avant d'être rejoints peu à peu par des Acadiens. À la fin du XIXe siècle, ce village n'était habité que l'hiver, car ses habitants pêchaient tout l'été le saumon et le homard à d'autres endroits.

Cette vague de colonisation draina à son tour du district de Québec des commerçants de divers corps de métier. Ces derniers vinrent grossir l'effectif des Canadiens français, lesquels restèrent malgré tout minoritaires dans la région.

Des Acadiens à la recherche d'une nouvelle patrie

« Alors quelques femmes demandèrent aux hommes s'ils ne pensaient pas que l'endroit qu'ils avaient passé environ à mi-chemin de Betchewun

à Mingan où il y avait une belle dune de sable qui s'étendait plusieurs milles à l'Est, serait plus favorable à un établissement. Après avoir réfléchi quelque temps, les hommes pensèrent qu'elles pourraient avoir raison. Ayant tenu compte de cette observation et ne sachant en quelque sorte que faire pour faire pour le mieux, ils appareillèrent le lendemain matin et se dirigèrent de nouveau vers l'Ouest... Enfin le même jour, 10 juin, vers midi (c'était le mercredi, veille de la Fête-Dieu) la «Mariner» après avoir erré assez longtemps de tous côtés, jeta l'ancre devant la Pointe aux Esquimaux. Après un court examen des lieux, l'équipage résolut à l'instant de s'y fixer»...

Placide Vigneau, Un pied d'ancre

Certes, ce sont les Acadiens qui contribuèrent le plus, sur le plan numérique, au peuplement de la Minganie. Comme les Jerseyais, les Acadiens étaient munis d'un capital appréciable et d'un bagage culturel spécialisé, quoique différent. Ceux qui envahirent la Moyenne Côte-Nord au XIXe siècle étaient en fait devenus des Madelinots depuis environ un siècle. Ils avaient inventé un genre de vie qu'ils transposèrent presque tel quel sur la Côte. En plus d'exploiter la morue et les loups-marins à proximité des Îles-de-la-Madeleine, ils allaient, équipés de goélettes, pêcher et chasser sur les côtes de Terre-Neuve et dans tout le golfe du Saint-Laurent. Ils pratiquaient aussi un peu d'agriculture et d'élevage pour en tirer des biens de subsistance.

Les raisons qui les poussèrent à quitter leur contrée d'origine semblent tenir à la pauvreté extrême qui affligeait la population des Îles-de-la-Madeleine à cette époque. Cet état de pauvreté résultait principalement de mauvaises saisons de pêche, de la compétition outrancière des pêcheurs étrangers et de la voracité des marchands. Entre 1853 et 1872, plus de 120 familles abandonnèrent les Îles-de-la-Madeleine pour coloniser la Moyenne Côte-Nord (Roy, 1960-1962). Elles provenaient surtout de Havre-aux-Maisons, de l'Étang-du-Nord et de Havre-Aubert.

Sans stratégie déterminée d'avance, les Acadiens, comme la plupart des nouveaux arrivants, choisirent le site de leurs établissements surtout en fonction des critères suivants: possibilités d'accès et d'abri pour leurs bateaux, proximité des ressources convoitées, et potentiel du site pour l'eau potable, le bois de chauffage, etc. Dans certains cas, ils durent faire plus d'une tentative avant d'arriver à un choix définitif.

C'est ainsi que le 10 juin 1857 abordait à la Pointe-aux-Esquimaux (aujourd'hui Havre-Saint-Pierre) la goélette «Mariner», porteuse de six familles acadiennes, originaires de Havre-aux-Maisons. Boudreau, Landry, Petit-Pas, Cormier, tels étaient leurs noms aujourd'hui si répandus dans la région. Dans un élan prophétique, le capitaine Fortin écrivait dans son rapport de 1861: «*Cet endroit est destiné à devenir un des postes les plus importants de la Côte.*» L'avenir devait effectivement lui donner raison.

Le nombre de familles de la Pointe-aux-Esquimaux augmenta rapidement. À la fin de 1860, soit trois ans après la fondation du village, Placide Vigneau y recensait 221 âmes, soit 30 familles acadiennes, deux canadiennes-françaises, une jerseyaise ainsi que 25 personnes de Gaspésie et des paroisses en bas de Québec. Cinq ans plus tard, la population doublait et comptait 82 familles pour 415 âmes. L'immigration acadienne continua pendant un certain temps d'alimenter ce peuplement, mais chuta à compter de 1872 après l'arrivée d'un dernier groupe important, formé de huit familles de Havre-Aubert. L'apport acadien à la population de Pointe-aux-Esquimaux fut passablement considérable au cours de cette période et totalisa environ 70 familles.

Certaines familles choisirent cependant d'occuper d'autres emplacements, dont le village de Betchewun, au destin curieusement éphémère. Situé à quelques kilomètres à l'est de Pointe-aux-Esquimaux, ce village fut d'abord occupé par un Français, J.C. De La Ruelle, de 1858 à 1864. Par la suite, ce site connut une certaine prospérité puisqu'en 1880, on y dénombrait une trentaine de familles acadiennes qui provenaient de Kégaska, un autre établissement sis encore plus à l'est. Mais dès 1886, une énorme vague d'émigration secoua Betchewun abandonné alors pour Québec, la Beauce et la Gaspésie. En 1889, il n'y restait plus qu'un seul habitant, lequel abandonna lès lieux l'année suivante. Cet exemple constitue un cas extrême illustrant la grande mobilité qui caractérisait cette époque. Bien qu'il fût courant pour certains individus ou familles de déménager d'un site à l'autre sur la Côte-Nord, très peu se sont montrés aussi versatiles.

Enfin, parmi tous ces villages s'individualise celui de Mingan, probablement le plus ancien poste permanent de la Minganie. Rappelons que sous le régime anglais, la Compagnie de la Baie d'Hudson y avait créé un comptoir d'échange qu'elle garda en opération jusqu'en 1873. Par la suite, les Eurogènes (gens d'origine européenne) persistèrent à considérer Mingan comme un poste de traite ou un lieu d'évangélisation. Pour les Montagnais, il fut longtemps un lieu estival de résidence avant de devenir le village actuel.

Des villages de pêcheurs (1872-1935)

Des diverses tentatives d'établissement réalisées en Minganie, subsistèrent en fin de compte quatre villages: Longue-Pointe, Mingan, Pointe-aux-Esquimaux et Baie-Piashti. La population d'origine européenne s'y distribuait vers 1870 dans des proportions quasi identiques à celles que l'on connaît aujourd'hui (Blondin, 1974). En effet, elle accusait dès ce moment une forte concentration à Pointe-aux-Esquimaux (plus de 80%), un pourcentage d'environ 15% à Longue-Pointe, alors que les autres emplacements se partageaient le reste. Ces agglomérations furent donc le point de départ d'un développement économique et social de plus en plus typique à la Minganie.

Dans une certaine mesure, l'évolution démographique de ces populations suivit le développement économique de la région. Si celle de Longue-Pointe et de Baie-Piashti se caractérisa pour cette période par un accroissement irrégulier mais continu, il en fut tout autrement pour Pointe-aux-Esquimaux. Beaucoup plus significative, l'évolution démographique de ce village connut, grâce au jeu combiné de l'immigration et de l'accroissement naturel, un essor rapide jusqu'en 1883, puis une baisse considérable en raison d'une vague d'émigration importante. Cette émigration était consécutive à plusieurs années de faillite presque totale pour la chasse au loup-marin, ainsi que pour la pêche à la morue et au hareng. À titre d'exemple, mentionnons seulement que les captures du loup-marin passèrent de 23 000 en 1880 à environ 1 000 en 1885. Dès lors, il est facile d'imaginer les conséquences de cette diminution auprès d'une population pour qui les ressources marines étaient vitales. Par la suite, il fallut attendre jusqu'en 1925 pour que la communauté de Pointe-aux-Esquimaux retrouve un dénombrement identique à celui de 1883 et s'engage dans une nouvelle phase de croissance.

Au cours de cette période, les différents groupes ethniques perpétuèrent les systèmes d'exploitation qu'ils avaient introduits sur la Côte. Les compagnies jerseyaises continuèrent ainsi d'opérer dans la partie ouest de la Moyenne Côte-Nord. À Longue-Pointe, les Canadiens français qui étaient venus sur place pour le compte de ces compagnies s'en dégagèrent peu à peu pour s'établir à titre de pêcheurs indépendants. Les Acadiens, pour leur part, se contentèrent d'adapter aux conditions locales leur système traditionnel, axé sur l'utilisation de la goélette. Par l'originalité de son fonctionnement, ce système marqua sans contredit l'époque dite traditionnelle de cette région.

Les belles années de la goélette

« À la vague à la vie
Disparue la goélette
Au large de la vie
Comme vieille vedette »
    Roland Jomphe, « La Goélette ».

Le système de la goélette fonctionnait surtout à la Pointe-aux-Esquimaux, où l'organisation de la production regroupait tous les hommes actifs du village. Le nombre de goélettes s'accrut avec les années et de huit qu'elles étaient en 1862, elles passèrent à 20 en 1883. Leur nombre diminua ensuite progressivement, et la goélette disparut tout à fait vers les années 1920. Sur un total de 56 goélettes utilisées par les gens de Havre-Saint-Pierre, neuf furent amenées avec les immigrants, 18 bâties sur place et 29 achetées de l'extérieur (Joubert, 1974).

En raison des nombreux havres qu'elles offraient, les îles de Mingan jouaient un rôle essentiel lors du remisage des goélettes en hiver. Les endroits

Tableau 8
Le cycle des activités à la Pointe-aux-Esquimaux sous le système des goélettes *(selon Archéotec, 1979)*

Période	Lieu	Activité
Novembre à février	Terre ferme Archipel	Pelleterie Transport du bois
Février ou mars	Archipel	Dégagement des goélettes emprisonnées dans les glaces
Mi-mars à mi-avril	Golfe du Saint-Laurent	Chasse collective aux loups-marins
Fin avril et fin mai	Île d'Anticosti Pointe-aux-Esquimaux	Pêche au hareng Semence et jardinage
Début juin à fin juillet	Sur la Côte et près d'Anticosti	Pêche à la morue
Fin juin à fin juillet	Quelques goélettes vers Québec	Vente des produits de pêche non écoulés
Août à fin septembre, début octobre	Côte de Terre-Neuve	Pêche au hareng
Octobre et début novembre	Québec et parfois Halifax	Vente du hareng et achat de provisions pour l'hiver

utilisés devaient non seulement offrir un abri sûr, mais aussi permettre un dégagement hâtif au tout début du printemps afin de pouvoir entreprendre le voyage de chasse au loup-marin jusque dans le détroit de Belle-Isle. Dès le mois de mars on se mettait à l'oeuvre pour libérer les goélettes en sciant la glace pour faire un chenal jusqu'aux eaux libres. Cette étape était cruciale, susceptible de retarder le départ, voire même faire rater la capture des loups-marins. Par conséquent, le choix des emplacements se devait d'être heureux. Les plus fréquentés se localisaient face à la Pointe-aux-Esquimaux, dans la partie sud de la Grosse Île au Marteau et en périphérie de l'île Saint-Charles ou de l'île à la Chasse. Le havre à McLeod situé sur cette dernière île doit d'ailleurs son nom à un capitaine de la Nouvelle-Écosse qui y remisa sa goélette en 1859. Bien qu'éloigné de la Pointe-aux-Esquimaux, ce havre était avantageux; rapidement déglacé, il permettait aux goélettes de partir beaucoup plus tôt pour la chasse. Les années suivantes, plusieurs autres pêcheurs imitèrent ce capitaine. Bien sûr, selon les années les abris sélectionnés pouvaient changer. Par exemple, en 1886, 21 goélettes hivernaient dans la partie sud de la Grosse île au Marteau alors qu'en 1891, il n'y en avait aucune.

Une fois à l'eau, les goélettes à voile entreprenaient leur saison d'activités selon le « cycle des trois pêches »: loup-marin, morue et hareng (tabl. 8). Elles se dirigeaient d'abord vers le détroit de Belle-Isle où elles parvenaient vers la première quinzaine de juin. Les équipages de neuf à 12 hommes y chassaient le loup-marin sur les glaces, soit avec des bâtons, soit avec des fusils, à pied ou en canots. Les bonnes années cette chasse pouvait rapporter jusqu'à 400,00 $ par personne.

Après cette activité, les goélettes repartaient vers la mi-juin pour pêcher la morue le long de la Basse Côte-Nord, entre Natashquan et Rivière-Saint-Paul. Parfois, elles se rendaient même jusqu'à Blanc-Sablon. Les grosses goélettes de 40 à 55 tonneaux, accompagnées de trois barges, amenaient des équipages de huit hommes et trois mousses; les petites, de 25 à 35 tonneaux, partaient avec six hommes, deux mousses et deux barges. Quand la pêche était bonne les barges faisaient trois ou quatre voyages par jour, et la préparation du poisson était faite par les mousses et les hommes restés à bord des goélettes. Parfois, on pouvait piquer, décoller, trancher et saler jusqu'à 9 000 ou 10 000 morues dans une même journée. Les saleurs de quatre ou cinq goélettes s'acquittaient également d'une autre tâche: rassemblés à bord d'une barge spéciale, ils capturaient à l'aide d'une seine le capelan et le lançon utilisés comme « boëtte » (appât) par les pêcheurs. Enfin, on pratiquait aussi à petite échelle la pêche au loup-marin à l'aide de filets.

Revenues vers la fin juillet ou un peu plus tard, les goélettes repartaient encore une fois à la mi-août pour la pêche au hareng. Le détroit de Belle-Isle ainsi que les côtes de Terre-Neuve et du Labrador étaient leurs principales zones d'opération. Une énorme seine commune à deux ou trois goélettes permettait de capturer 300 ou 400 barils de hareng d'une seule prise. Le maquereau, d'importance secondaire, constituait un autre poisson recherché.

En plus de se livrer à ces diverses activités productrices, certaines goélettes effectuaient à l'automne un quatrième voyage vers les ports de Québec ou d'Halifax, pour écouler les produits de la pêche et ramener de l'équipement ainsi que des provisions pour l'hiver. À l'occasion, les pêcheurs avaient aussi l'opportunité de vendre leurs produits sur place à des acheteurs locaux, à des « bourgeois » ou à des « traders », qui étaient des marchands itinérants.

Sur le plan social, les goélettes ont donné lieu à des formes uniques d'organisation. Requérant un investissement considérable, elles étaient la plupart du temps des copropriétés entre frères, entre père et fils, ou entre partenaires ou associés (Joubert, 1974). Les équipages étaient surtout recrutés sur la base des liens de parenté, et tout un système de partage venait définir la répartition des tâches et des produits. Certains équipements communs à deux ou plusieurs goélettes, comme la seine à hareng, exigeaient cependant des formes plus étendues de coopération. L'ensemble des pêcheurs devaient de surcroît collaborer aux opérations de remisage, de sciage de la glace et de mise à

47
Barge de pêche construite vers 1935 par le père de Roland Jomphe, Frédéric Jomphe (Société historique de Havre-Saint-Pierre).

l'eau. Sur le plan humain, il est certain que ce système favorisait le développement de relations amicales privilégiées; il fit vraiment les belles années des Acadiens installés en Minganie. Toutefois, lorsque les captures commencèrent à décliner vers 1883, la fonction commerciale des goélettes périclita rapidement. Elle persista malgré tout quelques années, mais uniquement pour un petit nombre.

Autour de cet important système de production et celui plus secondaire des compagnies jerseyaises, gravitaient plusieurs autres activités de subsistance, notamment l'exploitation des ressources marines de la Côte par l'entremise de pêcheurs autonomes, équipés de bateaux plus petits. Cette forme d'organisation à caractère plus individuel se développa d'abord dans les petits postes, tels Longue-Pointe et Baie-Piashti. Elle devint par la suite de plus en plus populaire et gagna même la Pointe-aux-Esquimaux, surtout à la fin du XIXe siècle alors qu'on assistait au retrait définitif de la goélette au profit de la barge. De dimension plus réduite et de faible tirant d'eau, la barge était plus avantageuse (fig. 47) en ces temps difficiles, puisqu'elle nécessitait moins d'investissements et de main-d'oeuvre. En 1897, elle connaissait une grande vogue à la Pointe-aux-Esquimaux où on en recensait plus d'une centaine (fig. 48).

La pêche à la morue constituait la principale activité des pêcheurs côtiers, surtout pendant les mois d'août et septembre. Pour l'ensemble de la Moyenne Côte-Nord, cette pêche connut dès 1863 un départ encourageant (40 000 quintaux). Quelques années plus tard, soit entre 1867 et 1870, survint une diminution sensible, puis une reprise qui culmina en 1880 avec un total de 70 000 quintaux. Par la suite ce sommet ne fut atteint qu'en 1915 avant que s'amorce un déclin continu. En plus de la morue, les pêcheurs capturaient aussi du hareng et du flétan. Ils exploitaient le loup-marin et pratiquaient de la fin de juin à la fin de juillet la pêche au saumon à l'embouchure de plusieurs rivières. Pour avoir une idée de l'importance relative de ces différentes activités, voici donc la liste des prises réalisées par les gens de Longue-Pointe en 1871 (Archéotec, 1979):

Morue (quintaux): 2 066
Hareng (barils): 10
Flétan: 18
Saumon: 4
Autres: 205
Huile de poissons et de phoques (gallons): 1 120
Fourrure (peaux): 15

L'exploitation des ressources terrestres

De sa prime vocation pour le commerce des fourrures, la Minganie s'était nettement orientée vers la pêche depuis l'arrivée des Jerseyais, des Canadiens français et surtout des Acadiens. Même si les Montagnais de la région se livraient toujours à la chasse et à la trappe des animaux terrestres, les nouveaux arrivants ne s'intéressèrent à ces activités que progressivement. À cet égard, le décompte des animaux à fourrure capturés au cours des 25 premières années d'existence de la Pointe-aux-Esquimaux illustre bien la forte propension des Acadiens pour les ressources de la mer. En effet, pour 39 328 loups-marins tués au cours de cette période, ce décompte fournit des chiffres nettement inférieurs pour les autres animaux, soit 222 renards, 19 loups-cerviers, 3 carcajous, 9 loutres, 18 castors, 58 martres, 99 visons et 141 rats musqués. En fait, l'exploitation de cette ressource terrestre se développa surtout à Longue-Pointe et dans les villages de l'est. Elle connut son apogée entre 1900 et 1920, alors que les prix atteignaient des valeurs alléchantes, notamment plusieurs centaines de dollars pour les renards noirs et argentés, 50,00 $ pour les castors et de 30,00 $ à 50,00 $ pour les visons.

Une initiative nouvelle: l'élevage du renard de Johan Beetz

Compte tenu de la rentabilité du commerce des fourrures à cette époque, un européen nommé Johan Beetz eut l'idée d'entreprendre l'élevage d'animaux sauvages. Ce belge né en 1874 au château d'Oudenhoven, et grand amateur de chasse vint sur la Côte-Nord en 1897. Il élut domicile l'année suivante à Baie-Piashti et s'y maria avec Adéla Tanguay. Au tout début, il s'occupa principalement d'achat de fourrures pour son compte et celui de la maison Révillon et Frères. Ses achats souvent considérables pouvaient se chiffrer entre 30 000 $ et 60 000 $. Pour accroître ses profits, Johan Beetz se lança quelques années plus tard dans l'élevage du renard. Payant des prix extravagants pour des renards argentés ou noirs capturés vivants, il aménagea une douzaine de parcs d'élevage avec une trentaine de couples reproduc-

48
Havre-Saint-Pierre vers 1920. Aujourd'hui, les installations liées à l'exploitation du minerai de fer et titane (quai, etc.) ont sensiblement modifié ce paysage. La plupart des maisons construites sur cette pointe de sable ont été déménagées sur d'autres sites, à l'exception de la grosse maison blanche apparaissant à l'extrémité droite de la photo (Société historique de Havre-Saint-Pierre).

teurs. Etant un pionnier dans ce domaine, il expérimenta et perfectionna ses méthodes. Son entreprise donna même du travail salarié à plusieurs personnes de Baie-Piashti: 3 ou 4 trappeurs, 2 préposés au soignage, en plus de 4 servantes à sa résidence. Cet élevage fonctionna surtout entre 1905 et 1919, mais dépérit après son départ pour Montréal en 1922, où il fut nommé chef du service vulpicole (qui touche l'élevage des renards). L'élevage du renard de Johan Beetz resta la seule entreprise importante de ce genre dans la région. Évidemment, c'est en souvenir de ce dynamique personnage que le nom de Baie-Piashti fut remplacé par Baie-Johan-Beetz en 1925.

Une utilisation des moindres ressources du milieu

Les habitants des villages tiraient en réalité des revenus plutôt modestes de leurs activités productrices. Cela leur suffisait sans doute les bonnes années, mais pendant les périodes difficiles, ils se devaient d'intensifier leurs moyens d'auto-subsistance. D'ailleurs, les Madelinots et les Canadiens français avaient en arrivant des traditions d'exploitation de la terre (agriculture et élevage) qu'ils tentèrent de conserver malgré les conditions climatiques peu avantageuses.

Ainsi, on cultivait avec un certain succès la pomme de terre et l'avoine, à condition d'engraisser le sol avec des têtes de morue ou avec des algues recueillies sur le littoral. L'herbe qui poussait à profusion sur certaines îles était pareillement utilisée de façon judicieuse. Ce « foin sauvage », ou « foin des îles », était fauché au mois d'août, séché et transporté jusqu'à la terre ferme, où il servait de nourriture aux animaux. Plus rarement, ce sont les animaux d'élevage (moutons, cochons) qui étaient traversés sur les îles pour paître, notamment sur l'île aux Goélands et sur la Caye à Cochons.

L'archipel de Mingan constituait de surcroît une bonne réserve pour le bois de construction et le bois de chauffage. Sur les îles rapprochées de la côte, le bois était coupé en hiver, puis « halé » sur la glace au moyen de traîneaux à chien et, ultérieurement, à l'aide de boeufs ou de chevaux. Cette opération n'était pas exempte de dangers, surtout à la fin de l'hiver, à cause de la « pourriture » de la glace d'eau salée. Sur l'île du Fantôme et l'île à Firmin, le bois était par contre empilé sur la grève et ramené sur la côte en chaloupe au printemps. Sur les îles plus éloignées, la coupe du bois et le transport vers la terre ferme avaient lieu à l'automne; les barges de pêche étaient alors employées à cet effet.

Pour varier le menu, les gens chassaient régulièrement sur les îles le lièvre et la gélinotte ainsi que le gibier aquatique, qui s'y posait en abondance. Les petits fruits sauvages se développant dans les tourbières, dans les landes et sur le littoral étaient récupérés, tout comme le duvet de canard eider, d'une grande valeur commerciale. La cueillette des oeufs d'oiseaux sauvages, goéland et canard eider surtout, constituait une autre activité de subsistance. Bien que secondaire pour les gens de la côte, celle-ci prit de l'importance peu à peu pour certains navires qui se spécialisèrent dans l'exploitation de cette ressource. Cette dernière fournissait un revenu appréciable, et les oeufs récoltés, de façon souvent exagérée, étaient expédiés sur les marchés de Boston et d'Halifax. En 1865, le capitaine Fortin dut saisir un bateau, l'« Ocean-Bride » et arrêter son équipage pour donner un exemple et faire cesser ce pillage pratiqué un peu partout sur la Côte par les goélettes de la Nouvelle-Écosse et des États-Unis. Dans un but de protection, le gouvernement fédéral instaura plus tard des contrôles et créa dans l'archipel de Mingan deux sanctuaires d'oiseaux en 1925.

Le commerce

Comme les villages de la région n'ont jamais constitué des systèmes fermés et auto-suffisants, l'organisation du commerce a de tout temps joué un rôle important, autant pour approvisionner la population que pour écouler les produits locaux. Comme nous l'avons déjà mentionné, les compagnies jerseyaises cumulaient déjà cette fonction dans certains villages en achetant les prises des pêcheurs auxquels elles vendaient divers biens de consommation. À la Pointe-aux-Esquimaux, ce sont les goélettes et les « traders » qui assumèrent dès le début les échanges commerciaux. Tandis que certaines goélettes effectuaient après leur saison d'activité un voyage à cette fin, les « traders », toujours originaires de l'extérieur, en faisaient généralement trois chaque année sur la Côte, transportant des marchandises de toutes sortes, qu'ils troquaient contre les produits locaux.

Dans le secteur des fourrures, plusieurs représentants opéraient pour le compte de maisons étrangères. Ces représentants étaient des résidants permanents ou des gens qui venaient uniquement pour l'été. Quant à la Compagnie de la Baie d'Hudson, spécialisée jusqu'ici dans l'achat des fourrures, elle s'orienta de plus en plus vers le commerce de détail. Enfin, quelques petits marchands indépendants tentèrent leur chance dans la vente des produits locaux ou des marchandises qu'ils faisaient venir par l'intermédiaire des «traders» ou des goélettes de la Pointe.

49
Montage en corvée d'une barque de pêche à Havre-Saint-Pierre vers 1950. À l'arrière, on reconnaît deux salines (cabanes utilisées pour la salaison de la morue), le bureau de poste (a), le bureau du télégraphe (b), l'évêché (c), la maison du gérant (d) et le magasin de la Compagnie de la Baie d'Hudson (e), servant actuellement de centre d'interprétation (Société historique de Havre-Saint-Pierre).

Sur le plan social, il est intéressant de souligner que les Acadiens furent au départ enclins à pratiquer une forte endogamie, c'est-à-dire à se marier à l'intérieur de leur groupe. À partir de 1880, les alliances matrimoniales inter-ethniques devinrent cependant de plus en plus fréquentes. Finalement, il convient d'insister sur le rôle primordial qu'ont joué les autorités ecclésiastiques dans la mise en place d'institutions à vocation communautaire. À l'instar de leurs collègues oeuvrant à la même époque dans les régions de colonisation, les membres du clergé aidés des religieuses ont en effet contribué directement à l'implantation des institutions scolaires et hospitalières.

L'ère industrielle (1935-1982)

Comme les systèmes de production s'étaient essentiellement concentrés sur les ressources vivantes, terrestres et marines, on ne peut s'étonner du fait que le rapport population et ressources ait abouti à une situation de crise. En effet, la population s'accroissait tandis que les ressources conservaient un rythme de renouvellement limité.

50
Débarquement de la première locomotive de la compagnie *Québec Iron and Titanium* le 16 octobre 1949. Celle-ci servait à ramener à Havre-Saint-Pierre le minerai extrait à la mine située au lac Allard. Aujourd'hui, elle est exposée face à l'hôtel du Havre (Société historique de Havre-Saint-Pierre).

Cette crise ne se limita pas à la région des îles de Mingan, mais elle affecta, en premier lieu, les Acadiens de la Pointe-aux-Esquimaux à cause de leur spécialisation technique et économique. Ne pouvant plus rentabiliser les goélettes dans les voyages de pêche au loup-marin, à la morue et au hareng, ils firent face à une situation qui entraîna l'abandon de ce système de production ainsi que l'émigration d'une partie de la population. Plusieurs se rallièrent alors à la pêche côtière, déjà pratiquée par les pêcheurs de Longue-Pointe à l'aide de barques plus petites (fig. 49). Là encore, le réservoir des ressources demeurait limité, et l'intensification de ce type de pêche, après un sommet vers 1915, fut suivie d'une baisse continue.

Il restait à se lancer plus à fond dans l'exploitation des autres ressources: fourrures, saumon, élevage du renard, etc. La trappe des animaux à fourrures connut à ce moment une hausse significative, surtout de 1920 à 1940. Mais cette activité était vouée pareillement au déclin en raison de l'épuisement quasi inévitable du milieu et de l'élevage des animaux sauvages qui fit chuter les prix. Les rendements de la pêche au saumon et à la truite, caractérisés jusqu'ici par des variations marquées, subirent eux aussi une nette diminution à partir de 1930. Cependant, cette réduction n'eut pas vraiment de conséquences dramatiques puisque ces activités demeuraient limitées à un petit nombre de personnes, en raison du nombre restreint d'emplacements et des contrôles imposés par le gouvernement. Bientôt les « outsiders », les « officiers » ou les « messieurs », comme on les appelle sur la Côte, se mirent à pêcher le saumon avec enthousiasme. S'ils gratifiaient certains guides de revenus élevés, ils opérèrent en retour subrepticement la dépossession des rivières au profit de leurs clubs privés. Au bout du compte, il ne restait plus tellement de possibilités dans l'éventail des ressources vivantes: tout au plus de quoi subvenir aux besoins d'une petite partie de la population.

Migrations et bouleversements socio-économiques

Cet état de crise ne pouvait se résoudre qu'en une profonde mutation du système économique, impliquant l'exploitation de ressources différentes (bois, mines et tourisme). Cette période de transition fut d'abord facilitée par l'essor économique des régions avoisinantes. Ainsi, à partir de 1900, plusieurs personnes trouvèrent un gagne-pain supplémentaire en s'éloignant pour des périodes de deux à six mois dans les chantiers de coupe de l'île d'Anticosti ou de la Côte-Nord. L'ouverture de quelques villes minières et l'expansion de l'industrie des pâtes et papiers contribuèrent également à relancer l'économie. En même temps émergeaient sur place des possibilités nouvelles de travail salarié pour le compte du gouvernement ou d'entreprises variées. Une fraction de la population put donc participer à la prise de relevés géodésiques dans la région ainsi qu'à la construction d'une ligne télégraphique, de phares, de routes, de quais et d'édifices publics ou privés. À ces emplois s'ajoutaient bien sûr les postes d'instituteur et les divers métiers (charpentier, cordonnier, etc.) créés depuis les tout premiers débuts. Malgré leur caractère saisonnier les clubs de pêche de la région constituaient une autre garantie de revenus.

Mais dans l'ensemble, les sources de travail salarié restaient limitées, et ne pouvaient servir de fondement solide à une économie locale ou régionale. On devait chercher ailleurs, s'expatrier pour des périodes plus ou moins longues, ou se rabattre sur les activités moins rentables comme la pêche à la morue. En plus des migrations temporaires, on enregistra au cours de cette période un certain nombre de départs définitifs. Cependant, en 1950 un événement susceptible de réanimer l'économie de la région survint: l'exploitation par la compagnie *Québec Iron and Titanium* (QIT) du gisement d'ilménite dans la zone des lacs Allard et Tio, à 43 km au nord de Havre-Saint-Pierre (fig. 50). Plusieurs résidants de Longue-Pointe purent aussi en bénéficier grâce à une route qui les reliait à ce village. Ce fut donc un renouveau sur le plan économique et social dont les conséquences ne se limitèrent pas simplement à l'ouverture d'emplois salariés. Cette innovation amorçait en fait une réorganisation de tous les aspects de la vie économique, sociale, politique et religieuse.

Tableau 9
Principaux naufrages survenus dans l'archipel de Mingan
(selon Vigneau, 1969)

Bâtiment	Date du naufrage	Lieu du naufrage
Vapeur « Clyde »	24 août 1857	Une des îles aux Perroquets
Vapeur « North-Briton »	5 novembre 1861	Une des îles aux Perroquets
Navire « Surinam »	3-4 octobre 1862	Île Quarry
« Phantom »	27 octobre 1862	Île du Fantôme
Brick « Terreneuvier »	27 mai 1872	Au large de l'île Saint-Charles
Goélette « Catarina »	15-16 octobre 1876	Rochers de l'île Sainte-Geneviève (probablement aux rochers nommés « Cormoraillère Sainte-Geneviève »)
Goélette « Notre-Dame de Lourdes »	15-16 octobre 1876	Île à la Chasse
Goélette « Lady Elgin »	15-16 octobre 1876	Île Saint-Charles
Goélette « Sainte-Croix »	15-16-octobre 1876	La Grande Île
Goélette « Zélia »	15-16 octobre 1876	La Grande Île
Brigantin « Elisabeth Jane »	28 octobre 1884	Pointe sud de la Petite île au Marteau
Barquentine « Olivette »	8 août 1886	Pointe ouest de l'île Saint-Charles
Goélette « La Léodore »	29 décembre 1887	Partie sud de la Grosse île au Marteau
Goélette « Marie Herzélie »	15 novembre 1890	Extrémité ouest de l'île Saint-Charles
Goélette « L'acara »	20 novembre 1894	La Grande Pointe (Clear Water Point)
Vapeur « Indiana »	26 juin 1902	Île Nue de Mingan

51
Tombeau du comte Henry de Puyjalon (1840-1905) sur l'île à la Chasse (A. Dumont).

La petite histoire des îles de Mingan

L'archipel de Mingan porte les griffes de l'histoire, et si son occupation reste indissociable de celle de la Côte, quelques îles se relient cependant plus étroitement à certains faits ou personnages légendaires. Premiers jalons du passé, les fours présumés basques de l'île Nue de Mingan rappellent, comme nous l'avons vu, la présence en Minganie des premiers pêcheurs et baleiniers européens. Puis, ce sont les vestiges du poste de Louis Jolliet sur l'île du Havre de Mingan qui évoquent le système seigneurial instauré sous le régime français. Par la suite, il faut attendre le début de la colonisation pour que les îles soient à nouveau utilisées de façon plus intense par les Eurogènes. L'archipel de plus en plus fréquenté par les goélettes et divers bateaux tient lieu désormais de rempart contre la mer, mais devient aussi la scène de nombreux naufrages (tabl. 9). Les résidants des nouveaux villages côtiers apprennent peu à peu à exploiter les diverses ressources du milieu; d'ailleurs plusieurs sections d'îles, ayant fait l'objet de coupe, conservent toujours l'empreinte de cette activité. Au cours de l'époque traditionnelle, quelques familles et ermites s'installèrent dans l'archipel pour des périodes plus ou moins longues; ils le firent par devoir, par amour de la solitude, ou par goût de l'aventure.

L'île à la Chasse et le comte Henry de Puyjalon

« Et il repartait, le coeur joyeux, pour sa lointaine solitude, pour ses forêts, ses rochers; pour le rêve, les expéditions lointaines; pour la vie vaste et large, pour sa chère petite maison de l'île-à-la-Chasse qu'il avait construite de façon à appeler vers elle tous les vents du large. C'est là qu'il mourut dans la nuit du 17 au 18 août 1905. »
Damase Potvin, Le Saint-Laurent et ses îles.

Curieux personnage que ce comte Henry de Puyjalon, né en France en 1840 et choisissant comme patrie d'adoption la Côte-Nord, qu'il parcourut, scruta, étudia pendant près de la moitié de sa vie. Arrivé au Canada vers 1873, il épousa la fille d'un ancien premier ministre. Puis, préférant la nature aux mondanités, il assuma avec ardeur le poste d'inspecteur de la chasse et de la pêche pour le compte du gouvernement provincial. Il fut aussi le premier gardien du phare de l'île aux Perroquets de 1888 à 1891. Conquis par l'austère beauté de l'archipel, il se bâtit un camp sur l'île à la Chasse qu'il n'occupa au début que de façon sporadique. Mais, après le décès de sa femme survenu en 1900, il y mena une vie plus recluse. À sa mort, Henry de Puyjalon fut inhumé près de son camp. Il laissa une mine de renseignements sur les ressources fauniques, minéralogiques et géographiques de la Côte-Nord et du Labrador, sans oublier ses savoureux *Récits du Labrador* (1894). Ses oeuvres constituaient un plaidoyer véhément pour la sauvegarde des espèces menacées par une chasse et une pêche exagérées. En 1955, grâce à l'initiative de Mgr René Bélanger, on édifiait en l'honneur de cet homme fascinant une plaque commémorative sur sa tombe (fig. 51).

Placide Vigneau et l'île aux Perroquets

C'est probablement le naufrage consécutif de deux navires, soit le « Clyde » en 1857 et le « North-Briton » en 1861, à proximité des îles aux Perroquets qui incita le gouvernement fédéral à construire sur l'une d'elles un premier phare. En octobre 1888, ce phare entrait en opération (fig. 52). D'abord surveillé par le comte Henry de Puyjalon, il fut confié en 1891 à C. E. Forgues pour une brève période car celui-ci périt noyé en mai 1892. Son successeur, Placide Vigneau, fit plus longue carrière et occupa le poste au-delà de 30 ans.

Né en 1842 aux Îles-de-la-Madeleine, Placide Vigneau vint à la Pointe-aux-Esquimaux en 1858 à l'âge de 16 ans, un an seulement après l'installation des premières familles acadiennes. Avant d'être gardien de phare, il fut capitaine de goélette, menant ainsi ce genre de vie qu'il a si bien décrit. Cet homme remarquable, auquel les historiens ont emprunté beaucoup d'informations, laissa un témoignage précis et précieux sur toute l'histoire de la région et de la Pointe-aux-Esquimaux consigné dans ses manuscrits dont une partie ont été édités en 1969 sous le titre: *Un pied d'ancre*. Cette oeuvre d'une grande qualité camoufle l'auteur plus qu'elle ne le révèle à cause, notet-on, de son extraordinaire réserve. Après son décès en 1926, son fils Hector fut à son tour gardien du phare de l'île aux Perroquets. Il continua l'oeuvre de son père en tenant de mars 1938 à octobre 1942 le « journal de l'île aux Perroquets ».

52
Placide Vigneau passa les trente dernières années de sa vie comme gardien de phare sur l'île aux Perroquets (M. Boulianne).

Quelques familles sur l'île du Havre

Est-ce la beauté du site, le désir de la tranquillité ou la proximité de la forêt qui motivèrent quelques familles de la Pointe-aux-Esquimaux à s'établir sur l'île du Havre à la fin du XIXe siècle? On ne saurait le dire, mais la localisation de cette île en face du village a certainement constitué un des critères déterminants dans le choix de cet emplacement. En consultant les chroniques de Placide Vigneau, on apprend davantage. Ainsi, les premiers à loger sur l'île en 1879 furent Napoléon Lachance et Hippolyte Turbit. Chaque année Placide Vigneau s'amuse ensuite à préciser la date de leur traversée sur la glace, d'abord à pied, puis avec des boeufs. Le 12 janvier 1888, un premier décès: les occupants ramenaient avec eux le corps d'Esther Lapierre. Un mois plus tard Napoléon Lachance, installé depuis les tout premiers débuts, décida subitement de retourner sur la terre ferme et traversa sa maison sur la glace! À ce moment, quatre familles demeuraient encore sur l'île. Finalement, en 1901, un dénommé Scott mit un terme à cette occupation; il fit évacuer les résidants, alléguant qu'il avait loué l'archipel de la Compagnie de la Baie d'Hudson qui en était propriétaire.

L'île du Havre ne sera à nouveau occupée qu'au cours des années trente. Dans sa partie nord, la Compagnie de la Baie d'Hudson entreprit l'élevage du renard argenté dans le but de diversifier sans doute ses activités puisque nous étions, rappelons-le, en pleine crise économique. Fonctionnant à longueur d'année, cette entreprise comptait une centaine de couples de renards et nécessitait l'emploi de trois à cinq personnes. On ne connaît pas les causes exactes de la fermeture de cet élevage survenue juste avant la seconde guerre mondiale. Bien que ce site soit aujourd'hui envahi par une végétation herbacée, les fondations des anciens bâtiments demeurent toujours visibles.

L'île Saint-Charles: de John Girard aux conserveries de « coques »

Placide Vigneau et l'abbé Huard associent dans leurs écrits le nom de John Girard à l'île Saint-Charles. Cet ermite célibataire aurait passé plus de 34 ans sur cette île, devenant ainsi le résidant le plus opiniâtre de l'archipel. Ses origines? Incertaines. On croit qu'il s'agit en fait de Jean Girard établi dès 1849 à l'embouchure de la rivière Saint-Jean (Charest, 1971 et Archéotec, 1979). Il était probablement le fils de Johny Girard qui vint s'installer à Magpie la même année. Ces deux hommes auraient été, semble-t-il, les premiers colonisateurs indépendants de la Moyenne Côte-Nord. Âgé de 81 ans, John Girard quitta l'île Saint-Charles pour Gaspé, après y avoir habité de 1857 à 1891. En 1895, les familles d'Épiphane Richard et de Charles Cyr hivernaient à leur tour sur l'île. Puis, c'est Philippe Loyseau qui y installa vers 1907 un enclos, nommé homardière, servant à la conservation des homards pêchés à l'extérieur de l'archipel. Enfin, trois conserveries de « coques » (mye commune) furent en opération sur l'île Saint-Charles aux environs de 1940. Elles commençaient à fonctionner dès le mois de mai pour cesser toute activité au mois d'octobre. La diminution des colonies de « coques » ainsi qu'un mauvais marché auraient été les causes principales de la fermeture des conserveries. Initiées en période de crise, elles marquèrent un effort dans l'exploitation de ressources nouvelles.

Autres îles, autres faits divers

Plusieurs îles furent également l'objet d'installations saisonnières pour la pêche à la morue, telle que l'île du Havre de Mingan occupée au cours de l'été 1859 par des pêcheurs gaspésiens en provenance de Grande-Rivière. Outre cette mention du capitaine Fortier, aucune information ne permet d'affirmer si ce site fut habité plus d'une saison.

Contemporain du comte Henry de Puyjalon, J.C. Nickerson aurait, pour sa part, fréquenté assidûment l'île Sainte-Geneviève. D'origine néo-écossaise, il habitait la Côte depuis 1863. Après être demeuré plusieurs années sur l'île d'Anticosti, soit de 1874 à 1890, il se retira en solitaire dans son camp faisant face à l'île Sainte-Geneviève. Le destin de cet homme s'associe étrangement à celui du comte de Puyjalon. À une année près, les deux hommes se réfugient dans leur camp où ils vivent en ermite pendant près de 15 ans. Coïncidence ultime, la mort vient les surprendre la même année à deux jours d'intervalle: Puyjalon le 18 août et Nickerson le 20 août 1905. De façon plus particulière, mentionnons que l'île Sainte-Geneviève fut, comme l'île Saint-Charles, le site d'une homardière exploitée par Christophe Cormier (Rouillard, 1908).

Enfin, on ne peut manquer lors d'une randonnée dans l'archipel d'apercevoir le phare de la Petite île au Marteau (fig. 53). Il fut allumé pour la première fois le soir du 11 août 1915. Encore habité, son automatisation ne devrait pas tarder, suivant de près celle du phare de l'île aux Perroquets.

53
Le phare de la Petite île au Marteau fut construit en 1915 et fonctionnait au moyen d'un fanal à l'huile. Comme le précise Placide Vigneau, le salaire annuel du premier gardien n'était que de deux cent et quelques piastres (Société historique de Havre-Saint-Pierre).

Le présent, le futur...

Contrairement au territoire côtier, les îles de Mingan n'ont jamais été récupérées par l'État québécois puisqu'elles appartenaient de droit à la Compagnie de la Baie d'Hudson. Au cours des dernières années, elles changèrent de propriétaires à quelques reprises. En 1973, la majorité des îles et îlots de l'archipel passaient à une compagnie d'Alberta, la *Sieben's Oil and Gas Ltd*, puis à la compagnie *Dome Petroleum* en 1978. La même année, le gouvernement provincial, par l'entremise du ministère des Affaires culturelles, classait les îles de Mingan «arrondissement naturel». En juin 1983, le gouvernement fédéral les achetait dans le but d'y aménager un nouveau parc national. Mais revenons plutôt à l'utilisation concrète de ce territoire depuis l'implantation de la mine dans l'arrière-pays.

Dans son ensemble, l'avènement de l'industrialisation modifia peu la nature des activités pratiquées dans l'archipel. En effet, la plupart des ressources exploitées au cours de l'époque traditionnelle le sont encore aujourd'hui. Si les gens ont abandonné à toutes fins pratiques la récolte du foin sauvage, la coupe du bois ainsi que la cueillette des oeufs, ils n'en continuent pas moins de chasser, de pêcher, d'aller aux «coques» ou de récolter les petits fruits sauvages, selon les mêmes techniques et aux mêmes endroits. Mais la signification de ces activités a changé; autrefois moyens de subsistance, elles sont davantage sources de détente et se rattachent dès lors à la notion de loisir, elle-même intimement liée à celle de travail salarié. Lieu de villégiature, les îles de Mingan abritent quelques chalets; de nombreuses personnes s'y rendent aussi pour camper. Depuis quelques années, leur beauté sauvage attire un nombre croissant de visiteurs si bien que les politiques actuelles favorisent grandement leur vocation éducative et touristique. Quelle influence aura le tourisme en Minganie? Il serait hâtif de le prédire à ce stade-ci. Chose certaine, l'unicité et la fragilité de ce patrimoine naturel justifient amplement sa protection et sa mise en valeur.

9.
Bibliographie

1. La toponymie

Gauthier Larouche, G., 1981,
Origine et formation de la toponymie de l'archipel de Mingan,
Études et recherches toponymiques 1,
Commission de toponymie, Québec,
165 p.

2. La formation des îles

Brown, R.J. and T.L. Péwé, 1973,
Distribution of Permafrost in North America and its Relationship to the Environment: a Review, 1963 – 1973,
Proc. Second Int. Conf. Permafrost, North American Contr., U.S. Nat. Acad. Sc., Washington, 71-100.

Corbel, J., 1958,
Les karsts de l'est canadien,
Cah. géogr. Qué., 4:193-216.

Dionne, J.-C., 1977,
La mer de Goldthwait au Québec,
Géogr. phys. Quat., 31:61-80.

Douglas, R.J.W., 1972,
Géologie et ressources minérales du Canada,
Min. de l'Énergie, des Mines et des Ressources, Partie A, 408 p., et partie C, cartes et tableaux.

Dubois, J.-M., 1976,
Le Quaternaire de la Côte-Nord et de l'estuaire maritime du Saint-Laurent: secteurs de Rivière-aux-Graines, Sheldrake et Mingan,
Report of Activities,
Geological Survey of Canada,
Paper 76-1B, p. 89-93.

Dubois, J.-M., 1977,
La déglaciation de la Côte-Nord du Saint-Laurent: analyse sommaire,
Géogr. phys. Quat., 31:229-246.

Dubois, J.-M., 1980,
Environnements quaternaires et évolution postglaciaire d'une zone côtière en émersion en bordure sud du Bouclier canadien: la Moyenne Côte-Nord du Saint-Laurent, Québec,
Département de géographie, Université d'Ottawa, Ottawa, 754 p.

Dumont, A., 1976,
Archipel de Mingan, propositions d'aménagement,
Office de planification et de développement du Québec, Québec, 52 p.

Dumont, A., B. Landry et G. Paquette, 1975,
Cartographie géomorphologique de l'archipel de la Minganie,
Office de planification et de développement du Québec, Québec,
4 cartes manuscrites au 1:15 840.

Landry, B., s.d.,
La Minganie,
Office de planification et de développement du Québec, Québec, 23 p.

Landry, B. et J.-M. Dubois, 1977,
Un îlot de pergélisol dans le golfe du Saint-Laurent?
Ann. ACFAS, 43:107

Petryk, A.A., 1981,
Lithostratigraphie, paléogéographie et potentiel en hydrocarbures de l'île d'Anticosti,
Min. Énergie et Ressources, Québec,
DPV-817, 219 p.

Richardson, J., 1857,
Report for the Year 1856 (on the Island of Anticosti and the Mingan Islands),
Geol. Surv. Canada, Rept. Prog. 1853-1856, p. 191-245.

Robitaille, B., 1954,
Les îles de Mingan,
Inst. hist. géogr., Univ. Laval, Québec, n° 6, 9 p.

Schuchert, C. and W.H. Twenhofel, 1910,
Ordovicic-Siluric Section of the Mingan and Anticosti Islands,
Geol. Soc. Am., Bul., 21:686-693.

Shaw, F.C., 1980,
Shallow Water Lithofacies and Trilobite Biofacies of the Mingan Formation (Ordovician), Eastern Quebec,
Naturaliste can., 107:227-242.

Twenhofel, W.H., 1926,
Geology of the Mingan Islands, Québec,
Geol, Soc. Amer., Bull. no. 37:535-550.

Twenhofel, W.H., 1931,
Geology of the Mingan Islands, Québec,
Geol. Soc. Amer., Bull. no. 42:575-588.

Twenhofel, W.H., 1938,
Geology and Paleontology of the Mingan Islands, Quebec,
Geol. Soc. Amer., Special papers, no. 11, 132 p.

Waddington, G.-W., 1950,
Les dépôts de calcaire de la région de Mingan,
Min. des Mines, Rapport géol. 42, 13 p.

---

3.   Le climat

Gagnon, R.-M. et M. A. Ferland, 1967,
Climat du Québec septentrional,
Min. Rich. Nat., Québec, 106 p.

Villeneuve, G.-O., 1948,
Aperçu climatique du Québec,
Min. Terres et Forêts, Bull. n° 10, 25 p.

---

4.   Les habitats terrestres et la flore

Blondeau, M., 1980,
Énumération des plantes de la Minganie récoltées par Marcel Blondeau durant le mois de juillet 1979 et déposées à l'herbier du domaine Fraser (centre de plein air),
Saint-Ferdinand d'Halifax, Québec, 35 p.

Bouchard, A., D. Barabé, M. Dumais et S. Hay, 1981,
Liste préliminaire des plantes vasculaires rares au Québec,
Bull. SAJIB,6(2):44-48.

Couillard, L., 1978,
Étude de la végétation de deux tourbières de l'île à Samuel, archipel de Mingan,
Herbier Louis-Marie, Univ. Laval, Québec, 153 p.

Dionne, J.-C., 1978,
Formes et phénomènes périglaciaires en Jamésie, Québec subarctique,
Géogr. phys. Quat., 23(3):187-247.

Dionne, J.-C., 1980,
Indices géomorphologiques probants de variations climatiques dans l'est du Québec,
texte d'une conférence présentée au 4ᶜ colloque sur le Quaternaire du Québec tenu à l'Université Laval, 17 p.

Dumas, P. et F. Lutzoni, 1980,
Liste sommaire des plantes vasculaires et algues marines benthiques de l'île du Fantôme, archipel de Mingan,
Lab. éco. et pédo., Fac. for. et géod., Univ. Laval, 3 p.

Fernald, M.L., 1950,
Gray's Manual of Botany,
8th ed., American Book Co., New York, 1632 p.

Gardner, G., 1973,
Catalogue analytique des espèces végétales du Québec arctique et subarctique et de quelques autres régions du Canada,
Univ. Montréal, Montréal, 234 p.

Gauthier, R., 1981,
La végétation et la flore de quelques tourbières de l'Anticosti-Minganie,
Hydro-Québec, 105 p.

Gervais, C., 1977,
Cytological Investigation of the Achillea millefolium Complexe (Compositae) in Québec,
Can. J. Bot., 55(7):796-808.

Grandtner, M.M., R. Bilodeau et C. Fortin, 1979,
Les plantes endémiques de la Minganie sont-elles toujours menacées de disparition?
Ann. ACFAS, 46:40.

Grondin, P., J.-L. Blouin et D. Bouchard, 1980,
Étude phyto-écologique de l'archipel de Mingan,

Le Groupe Dryade pour l'Office de planification et de développement du Québec, Tome 1, 77 p., Tome 2, 148 p. et Tome 3, cartographie des îles à l'échelle du 1:10 000.

Grondin, P. et M. Melançon, 1980, *La végétation du marais salé de l'île à Samuel, archipel de Mingan, Québec,* Phytocoenologia, 7:336-355.

Grondin, P. et M. Melançon, 1980, *Étude phyto-écologique de la Grosse île au Marteau et de l'île à Samuel, archipel de Mingan, Québec,* Études écologiques 2, 227 p.

Hultén, E., 1968, *Flora of Alaska and Neighboring Territories,* Stanford Univ. Press, California, 1 008 p.

Hultén, E., 1970, *The Circumpolar Plants, II. Dicotyledons,* Almqvist and Wiksell, Stockholm, 463 p.

Jahn, A., 1975, *Problems of the Periglacial Zone* (translated from Polish), Polish Scientific Publishers, Warszawa, 95 p.

Lavoie, G., en préparation, *Contribution à la connaissance de la flore vasculaire et invasculaire de la Moyenne et Basse Côte-Nord, Québec/Labrador,* Provancheria.

Lemieux, G., 1964, *Rapport annuel sur l'état de l'herbier (1962),* Fac. for. et géod., Univ. Laval, Québec, 148 p.

Lepage, E., 1976, *Les bouleaux arbustifs du Canada et de l'Alaska,* Naturaliste can., 103:215-233.

Lewis, H.F., 1931-1932, *An Annotated List of Vascular Plants Collected on the North Shore of the Gulf of St. Lawrence, 1927-1930,* Canadian Field Naturalist, 45(6):129-135, 45(7):174-179, 45(8):199-204, 45(9):225-228, 46(1):12-18, 46(2):36-40, 46(3):64-66, 46(4):89-95.

Luer, C.A., 1975, *The native orchids of the United States and Canada excluding Florida,* The New York Botanical Garden, New York, 361 p.

Marcotte, F., 1982, *Étude phyto-écologique et propositions d'aménagement de la Petite île au Marteau, archipel de Mingan, Québec,* Fac. for. et géod., Univ. Laval, Québec, 240 p.

Marie-Victorin, F., 1925, *Sur quelques composées nouvelles, rares, ou critiques du Québec oriental,* Contr. Lab. Bot., Univ. Montréal, 5:168-178.

Marie-Victorin, F., 1927a, *Les gymnospermes du Québec,* Contr. Lab. Bot., Univ. Montréal, 10:147 p.

Marie-Victorin, F., 1927b, *Sur un Botrychium nouveau de la flore américaine et ses rapports avec le B. lunaria et le B. simplex,* Contr. Lab. Bot., Univ. Montréal, II:319-340.

Marie-Victorin, F., 1928, *Deux épibiotes remarquables de la Minganie,* Contr. Lab. Bot., Univ. Montréal, 12:79-96.

Marie-Victorin, F., 1938, *Phytogeographical Problems of Eastern Canada,* Amer. Midl. Nat., 19:489-558.

Marie-Victorin, F., 1964, *Flore laurentienne,* 2e éd. revue par E. Rouleau, Presses Univ. Montréal, 924 p.

Marie-Victorin, F. et F. Rolland-Germain, 1969, *Flore de l'Anticosti-Minganie,* Presses Univ. Montréal, 527 p.

Marie-Victorin, F., J. Rousseau et M. Cailloux, 1942, *Le Cirsium minganense est-il une bonne espèce?* Contr. Lab. Bot., Univ. Montréal, 44:65-72.

Moore, R.J. and C. Frankton, 1964, *A Clarification of Cirsium drummondii,* Can. J. Bot., 42:451-561.

Moore, R.J. and C. Frankton, 1967, *Cytotaxonomy of Foliose Thistles (Cirsium spp. aff. C. foliosum) of Western North America,* Can. J. Bot., 45:1733-1749.

Moore, R.J. and C. Frankton, 1974, *The Thistles of Canada,* Canada Dep. Agric., Monogr. no. 10, 111 p.

Morisset, P., 1970,
*Marie-Victorin, Fr. et Rolland-Germain,
Fr., 1969. Flore de l'Anticosti-Minganie,*
Naturaliste can., 97(2):229-232.
Morisset, P., 1971,
*Endemism in the Vascular Plants of the
Gulf of St. Lawrence Region,*
Naturaliste can., 98:167-177.
Porsild, A.E. and W.J. Cody, 1979,
*Vascular Plants of Continental Northwest
Territories, Canada,*
Natn. Mus. Nat. Sci., Natn. Mus. Can,,
667 p.
Riley, J.L. and S.M. McKay, 1980,
*The Vegetation and Phytogeography of
Coastal Southwestern James Bay,*
Contr. R. Ontario Mus., Life Sci.,
no. 124, 86 p.
Rouleau, E., 1956,
*The Genus Dryas (rosaceae) in
Newfoundland,*
Contr. Inst. Bot., Univ. Montréal, 69:5-19.
Rousseau, C., 1974,
*Géographie floristique du Québec-
Labrador,*
Presses Univ. Laval, Québec, 799 p.
Rousseau, L., 1963,
Aperçu des sols des îles de Mingan,
Ann. ACFAS, 29:48.
Roy, G., 1980,
*Les plantes introduites de la Petite île au
Marteau, archipel de Mingan, Québec,*
Fac. for. et géod., Univ. Laval, Québec,
97 p.
Scoggan, H.J., 1978,
The flora of Canada,
Natn. Mus. Nat. Sci., Publ. Botany no. 7,
1 711 p.
Sevile, D.B.O., 1972,
Arctic Adaptations in Plants,
Agriculture Canada, Monograph no. 6, 81 p.
Simard, A., 1970,
*Rapport d'une étude des tourbières de
l'archipel des îles de Mingan,*
Min. Rich. Nat., Québec, rapport n° 590,
17 p.
St-Cyr, D.N., 1886,
*Liste des plantes récoltées par D.N.
St-Cyr sur la Côte-Nord, depuis la baie
Saint-Paul jusqu'à « Ouatchechou » et dans
les îles de « Mingan », « d'Anticosti » et du
« Grand Mécatina » pendant l'été 1882 et
du mois de juillet 1885, durant les loisirs
de ces deux voyages dans le bas du fleuve
et le Golfe Saint-Laurent, Québec,*
Assemblée législative, 37:66-153.

St-Cyr, D.N., 1887,
*Liste des plantes récoltées par D.N.
St-Cyr sur la Côte-Nord, depuis la baie
Saint-Paul jusqu'à « Ouatchechou » et dans
les îles de « Mingan », « d'Anticosti » et du
« Grand Mécatina » pendant l'été 1882 et
du mois de juillet 1885, durant les loisirs
de ces deux voyages dans le bas du fleuve
et le Golfe Saint-Laurent, Québec,*
Assemblée législative, 20:1-114.
St. John, H., 1922,
*A Botanical Exploration of the North
Shore of the Gulf of St. Lawrence inclu-
ding an Annotated List of the Species of
Vascular Plants,*
Can. Dep. Min., Vict. Mem. Mus., mem.
126, Biological Series no. 4, 130 p.
Taschereau, P.M., 1972,
*Taxonomy and Distribution of Atriplex
Species in Nova Scotia,*
Can. J. Bot., 59(7):1571-1594.
Verrill, A.E., 1865,
*List of the Plants Collected at Anticosti
and Mingan Islands during the Summer of
1861,*
Boston Soc. of Nat. Hist. 9:146-152.
Wagner, W.H. Jr. and L.P. Lord,
1956,
*The Morphological and Cytological Dis-
tinctness of Botrychium minganense and
B. lunaria in Michigan,*
Bull. Torrey Club, 83(4):261-280.

5.   Le littoral

5.1 Les algues

Cardinal, A., 1980,
*La végétation marine benthique littorale
des îles de l'archipel de Mingan,*
GIROQ pour la Direction des réserves
écologiques et des sites naturels, Ministère
de l'Environnement du Québec, 66 p.

5.2 Les invertébrés

Bousfield, E.L., 1964,
*Coquillages des côtes canadiennes de
l'Atlantique,*
Musée national du Canada, 89 p.
Brunel, P., 1970,
*Catalogue d'invertébrés benthiques du
golfe Saint-Laurent recueillis de 1951 à
1966 par la station de biologie marine de
Grande Rivière,*
Trav. Pêch. Québec, 32:3-55.

Gosner, K.L., 1979,
A Field Guide to the Atlantic Seashore,
Peterson Field Guide Series, no. 24,
Houghton Meffin Compagny, Boston,
329 p.

Miner, R.W., 1950,
Field Book of Seashore Life,
G.P. Putnam's Sons, New York, 888 p.

___

6.   La mer

6.1 Caractéristiques physiques

Boudreault, F.-R., 1975,
*Structure thermique du Détroit de
Jacques-Cartier et du chenal d'Anticosti, 7
– 10 juillet 1973,*
Min. Ind. Comm., Dir. pêch. mar.,
Cahier ENFOR, n° 67, 47 p.

Chabot, R., 1981,
*Synthèse des composantes biophysiques
des eaux du golfe du Saint-Laurent dans
une perspective faunique,*
Environnement Canada, Service canadien
de la faune, Centre d'interprétation faunique de Percé, 73 p.

**Dunbar, M.J., D.C. MacLellan,
A. Filion and D. Moore,** 1980,
*The Biogeographic Structure of the Gulf of
St. Lawrence,*
Mar. Sci. Cen., McGill Univ., MS Rep.
no. 32, 108 p.

Fortier, L. et L. Legendre, 1979,
*Le contrôle de la variabilité à court terme
du phytoplancton estuarien:
stabilité verticale et profondeur critique,*
J. Fish. Res. Board Can., 36:1325-1335.

Greisman, P. and G. Ingram, 1977,
*Nutrient Distribution in the St. Lawrence
Estuary,*
J. Fish. Res. Board Can., 34:2117-2123.

Loring, D.H. and D.J.G. Nota, 1973,
*Morphology and Sediments of the Gulf St.
Lawrence,*
Bull. Fish. Res. Board Can., Bull. no. 182,
147 p.

Marsan, A. et ass., 1981,
*Projet d'aménagement de la rivière Romaine:
étude des aspects biologiques des estuaires
de la Saint-Jean et de la Romaine,*
Hydro-Québec, 173 p.

Marsan, A. et ass., 1982,
*Études océanographiques et biologiques
(ichtyoplancton et poisson) des estuaires de
la Romaine et de la Saint-Jean,*

Atelier sur l'écologie marine du Détroit de
Jacques-Cartier, Gare Maritime
Champlain,
Québec, 48 p.

**Pingree, R.D.
and D.K. Griffiths,** 1980,
*A Numerical Model of the M_2 Tide in the
Gulf of St. Lawrence,*
Oceano. Acta, 3(2):221-225.

**Sevigny, J.-M., M. Sinclair,
M.J. El-Sabh, S. Goulet and A. Coote,**
1979,
*Summer Plankton Distributions Associated
with the Physical and Nutrient Properties of
the Northwestern Gulf of St. Lawrence,*
J. Fish. Res. Board Can., 36(2):187-203.

Steven, D.M., 1974,
*Primary and Secondary Production in the
Gulf of St. Lawrence,*
Mar. Sci. Cen. MS Rep., McGill Univ.. MS
Rep. no. 26, 60 p.

Thériault, J.-C. and G. Lacroix, 1976,
*Nutrients, Chlorophyll and Internal Tides in
the St. Lawrence Estuary,*
J. Fish. Res. Board Can., 33(12):2747-2757.

___

6.2 Les poissons

**Able, K.W., R. Bailey, B. Jacquay
et J.P. Vesin,** 1976,
*Biologie du capelan (Mallotus villosus) de
l'estuaire et du Golfe du Saint-Laurent,*
Min. Ind. Comm., Dir. gén. pêch. mar.,
Cahier d'info. n° 75, 24 p.

Anonyme, 1982,
Le capelan, une ressource sous-exploitée,
Entrefilets, 3(2):8-9.

Bernier, L. et L. Poirier, 1981,
*Évaluation sommaire des possibilités
d'exploitation commerciale du stock de
crevettes de roche, Schlerocrangon boreas,
des îles de Mingan,*
Ministère de l'Agriculture, des Pêcheries et
de l'Alimentation, Cahier d'info. n° 94, 44
p.

Leim, A.H. and W.B. Scott, 1972,
Poissons de la côte Atlantique du Canada,
Off. rech. pêch. Can., Bull. n° 155,
530 p.

Ministère des Affaires culturelles,
1982,
*Cartes d'utilisation humaine actuelle (depuis
1910) de l'archipel de Mingan.*

Poirier, L., 1976,
Les stocks de pétoncles d'Islande, Chlamys islandica Müller, *du détroit de Jacques-Cartier (golfe du Saint-Laurent),*
Ministère de l'Industrie et du Commerce, Cahier d'info. n° 71, 23 p.

6.3 Les mammifères marins

Gauthier, J., 1981,
Baleines et dauphins du Saint-Laurent,
Société linnéenne du Québec, 31 p.

Lavoie, N., 1874-1875,
Report of the Cruise of the Government Schooner « La Canadienne », in the River and Gulf of St. Lawrence, for the Season of 1873, Under Command of N. Lavoie,
Esq. fish. off., Printed by I.B. Tayler, Ottawa, 77 p.

Lavoie, N., 1877,
Report of the Commissionner of Fisheries for the Year ending December 31st 1876,
Supplement no. 4 to the Ninth Annual Report of the Minister of Marine and Fisheries for the year 1876, Maclean, Roger et Co., p. 44-147.

Leatherwood, S., D.K. Caldwell and H.E. Winn, 1976,
Whales, Dolphins and Porpoises of the Western North Atlantic National: A guide to their Identification,
NOAA technical report NMFS C1RC-396, 176 p.

Katona, S., D. Richardson and R. Hazard, 1977,
A Field Guide to the Whales and Seals of the Gulf of Maine,
2nd edition, College of the Atlantic Bar Harbor, Maine, 04609, 269 p.

Sears, R., 1981,
Report on Observations of Cetaceans along the North Shore of the Gulf of St. Lawrence (Mingan Islands),
Summer-fall 1980, Mingan Islands Cetacean Study East Falmouth, Ma. 02536, 35 p.

Shijper, E.J., 1976,
Whales and Dolphins,
Michigan Press Univ., 170 p.

7. La faune ailée

Brewster, W., 1884,
Notes on the Birds Observed during a Summer Cruise in the Gulf of St. Lawrence,
Proc. Boston Soc. of Nat. Hist., 22:364-412.

Brown, R.G.B., D.N. Nettleship, P. Germain, C.E. Tull et T. Davis, 1975,
Atlas des oiseaux de mer de l'est du Canada,
Service canadien de la faune, Ottawa, 220 p.

Bryant, H., 1861,
Remarks on. Some of the Birds that Breed in the Gulf of St. Lawrence,
Proc. Boston Soc. of Nat. Hist., 8:65-75.

Chapdelaine, G., 1980,
Onzième inventaire et analyse des populations d'oiseaux marins dans les refuges de la Côte-Nord du golfe Saint-Laurent,
Can. Field Nat., 94(1):34-42.

Chapdelaine, G. et A. Bourget, 1981,
Distribution, abondance et fluctuations des populations d'oiseaux de l'archipel de Mingan (golfe du Saint-Laurent, Québec),
Naturaliste can. 3:219-227.

Comeau, N.A., 1909,
Life and Sport on the North Shore of the Lower St. Lawrence and Gulf, Quebec,
Daily Telegraph Printing House, 440 p.

Cooper, W., 1881,
Birds Nesting in Labrador,
Canadian Sportsman and Naturalist, 1:50-52.

David, N. et M. Gosselin, 1981,
Observer les oiseaux au Québec,
Collection « Faire », Québec Science, 265 p.

Dupuis, P., 1975,
La sauvagine de l'estuaire et du golfe Saint-Laurent,
Environnement Canada, Direction de la faune, Service de gestion de l'environnement, Québec, 24 p.

Dupuis, P., 1976,
Inventaire d'hiver de la sauvagine dans l'estuaire et le golfe Saint-Laurent, Québec,
Environnement Canada, Direction de la faune, Service de gestion de l'environnement, Québec, 31 p.

Frazar, M.A., 1887,
An ornithologist's Summer in Labrador,
Ornithologist and Oölist, 12:1-3.

Gabrielson, N., 1947,
Birds Notes from the Canadian Labrador,
Can. Field Nat., 43:74-79.

Godfrey, W.E., 1967,
Les oiseaux du Canada,
Musée national du Canada, Bulletin
n° 203, 506 p.

Hewitt, D.H., 1950,
Fifth Census of Non-Passerine Birds in the Sanctuaries of the North Shore of the Gulf of St. Lawrence,
Can. Field Nat., 64:73-76.

Lemieux, L., 1956,
Seventh Census of Non-Passerine Birds in the Sanctuaries of the North Shore of the Gulf of St. Lawrence,
Can. Field Nat., 70:183-185.

Lewis, H.F., 1922,
Notes on some Labrador Birds,
Auk, 39:507-516.

Lewis, H.F., 1923,
Additional notes on Birds of the Labrador Peninsula,
Auk, 49:135-137.

Lewis, H.F., 1925,
Notes on Birds of the Labrador Peninsula in 1924,
Auk, 42:74-86 and 278-281.

Lewis, H.F., 1927,
Notes on Birds of the Labrador Peninsula in 1925 and 1926,
Auk, 44:59-66.

Lewis, H.F., 1928a,
Notes on Birds of the Labrador Peninsula in 1927,
Auk, 45:227-229.

Lewis, H.F., 1928b,
Notes on Birds of the Labrador Peninsula in 1928,
Can. Field Nat., 42:191-194.

Lewis, H.F., 1931a,
Five Years Progress in the Bird Sanctuaries of the North Shore of the Gulf of St. Lawrence,
Can. Field Nat., 45:73-78.

Lewis, H.F., 1931b,
Notes on Birds of the Labrador Peninsula in 1930,
Can. Field Nat., 45:113-114.

Lewis, H.F., 1934,
Some Observations indicating the Northeastward Extension of the Range of the Starling,
Auk, 51:88-89.

Lewis, H.F., 1935,
William Couper's Observations of Birds of the Labrador Peninsula,
Can. Field Nat., 49:112-116.

Lewis, H.F., 1937,
A Decade of Progress in the Bird Sanctuaries of the North Shore of the Gulf of St. Lawrence,
Can. Field Nat., 51:51-55.

Lewis, H.F., 1938,
Notes on Birds of the Labrador Peninsula in 1936 and 1937,
Can. Field Nat., 52:47-51.

Lewis, H.F., 1942,
Fourth Census of Non-Passerine Birds in the Bird Sanctuaries of the North Shore of the Gulf of St. Lawrence,
Can. Field Nat., 56:5-8.

Lucas, F.A., 1891,
Explorations in Newfoundland and Labrador in 1887, made in connection with the Cruise of the United States Fish Commission Schooner Grampus,
Report U.S. Nat. Mus. for 1888-1889, p. 709-728.

Moisan, G., 1962,
Eighth Census of Non-Passerine Birds in the Bird Sanctuaries of the North Shore of the Gulf of St. Lawrence,
Can. Field Nat., 76:78-82.

Moisan, G. and R.W. Fyfe, 1967,
Ninth Census of Non-Passerine Birds in the Sanctuaries of the North Shore of the Gulf of St. Lawrence,
Can. Field Nat., 81:67-70.

Nettleship, D.N. and A.R. Lock, 1973,
Tenth Census of Seabirds in the Sanctuaries of the North Shore of the Gulf of St. Lawrence,
Can. Field Nat., 87:395-402.

Palmer, W., 1890,
Notes on the Birds Observed during the Cruise of the United States Fish Commission Schooner Grampus in the Summer of 1887.
Proc. U.S. Nat. Mus., 13:249-265.

Puyjalon, H. de, 1894,
Récits du Labrador,
Montréal, Imprimerie canadienne, 143 p.

Puyjalon, H. de, 1900,
Histoire naturelle à l'usage des chasseurs canadiens et des éleveurs d'animaux à fourrure,
Québec, 428 p.

Schmitt, J., 1904,
Monographie de l'île d'Anticosti (Golfe Saint-Laurent),
Faculté des sciences de Paris, série A., n° 486, 370 p.

Taverner, P.A., 1929,
Bird Notes from the Canadian Labrador,
1928,
Can Field Nat., 43:74-79.
   Tener, J.S., 1951,
Sixth Census of Non-Passerine Birds in the
Bird Sanctuaries of the North Shore of the
Gulf of St. Lawrence.
Can. Field Nat., 65:65-68.
   Townsend, C.W., 1913,
Some more Labrador Notes,
Auk, 31:1-10.
   Townsend, C.W. and A.C. Bent,
1910,
Additional Notes on the Birds of
Labrador,
Auk, 27:1-18.
   Verrill, A.E., 1862,
Catalogue of the Birds observed at Anti-
costi and Vicinity,
Pro. Boston Soc. of Nat. Hist.,
9:137-143.

8.   L'occupation humaine d'origine européenne

   Anonyme, S.D.,
De la Pointe-aux-Esquimaux à Havre-
Saint-Pierre,
Société historique de Havre-Saint-Pierre,
9 p.
   Archéotec, 1979,
Étude de l'utilisation des ressources du
territoire de la Romaine, de la période
préhistorique à la période contemporaine,
Projet hydro-électrique de la rivière
Romaine, Direction de l'environnement,
Hydro-Québec, 215 p.
   Beaubien, P., 1976,
Archipel de Mingan, aire naturelle
d'intérêt canadien,
Parcs Canada, Min. des Aff. Ind. et du
Nord, Ottawa, 54 p.
   Beaulieu, R. et P. Joubert, 1968,
Fonctions économiques et sociales de
Havre-Saint-Pierre,
Lab. ethnographie, Univ. Laval, 127 p.
   Bédard, F., 1971a,
L'histoire des compagnies de pêche
(jerseyaises),
Lab. ethnographie, Univ. Laval, 17 p.
   Bédard, F., 1971b,
Histoire des communications sur la Basse
et la Moyenne Côte-Nord,
Lab. ethnographie, Univ. Laval, 35 p.

   Beetz, J. et H. Beetz, 1977,
La merveilleuse aventure de Johan Beetz,
Leméac, 222 p.
   Bélanger, Mᵍʳ R., 1971,
Les Basques dans l'estuaire du Saint-
Laurent,
Presses de l'Université du Québec,
Montréal, 162 p.
   Bélanger, Mᵍʳ R., 1973,
De la Pointe de tous les diables au Cap
Grincedents,
Toponymie historique et actuelle de la
Côte-Nord, Belisle, Québec, 165 p.
   Biggar, H.P., 1913,
Les précurseurs de Jacques Cartier,
1497-1534,
Collection de documents relatifs à l'his-
toire primitive du Canada, Ottawa, 205 p.
   Biggar, H.P., 1924,
The Voyages of Jacques Cartier,
Archives publiques du Canada, Ottawa,
330 p.
   Blondin, D., 1974,
La structure occupationnelle de la
Moyenne Côte-Nord,
Lab. ethnographie, Univ. Laval, 93 p.
   Blondin, D., 1975,
Groupes domestiques, adoption et parrai-
nage sur la Moyenne Côte-Nord,
Lab. ethnographie, Univ. Laval, 151 p.
   Blondin, D., 1982,
L'archipel de Mingan, occupation humaine
d'origine européenne,
Ministère des Affaires culturelles,
Québec, 120 p.
   Bouchard, S., 1973,
Classification montagnaise de la faune.
Étude en anthropologie cognitive sur la
structure du lexique «animal indien» chez
les Montagnais de Mingan,
Lab. ethnographie, Univ. Laval, Québec,
129 p.
   Bussière, P., 1963-1964,
La population de la Côte-Nord,
Cahiers de géographie de Québec,
7(14) et 8(15).
   Charest, P., 1971,
Écologie culturelle de la Côte-Nord du
Golfe Saint-Laurent,
Lab. ethnographie, Univ. Laval, 205 p.
   Charest, P., 1975,
Les ressources naturelles de la Côte-Nord
du Saint-Laurent ou la richesse des autres;
une analyse diachronique,
Recherches amérindiennes au Québec,
5(2): 35-53.

Chevrier, D., 1977,
*Potentiel archéologique de six rivières
importantes de la Côte-Nord,*
Montréal, 181 p.

Chism, J.V., 1980,
*Reconnaissance des sites historiques de la
Côte-Nord,*
Ministère des Affaires culturelles,
p. 144-171.

De La Morendière, C., 1966,
*Histoire de la pêche française de la morue
dans l'Amérique septentrionale,*
Paris, Maisonneuve et Larose, 3 volumes.

Delanglez, J., 1950,
Louis Jolliet, Vie et Voyages,
Les études de l'Institut d'histoire de
l'Amérique française, Montréal, Granger,
435 p.

Dominique, R., 1975,
*Dans ce temps-là... pi ast-heure. L'ethno-
histoire de la Moyenne Côte-Nord,*
Lab. ethnographie, Univ. Laval, 119 p.

Dorion, H., 1967,
*Les noms de lieux montagnais des
environs de Mingan,*
Presses de l'Université Laval, Québec,
214 p.

Frenette, J., 1980,
*Le poste de Mingan au XIXᵉ siècle: cycles
annuels des montagnais et politiques de la
compagnie de la Baie d'Hudson,*
Lab. ethnographie, Univ. Laval, 122 p.

Fortin, J., 1979,
*Dossier historique sur la Minganie. Postes
de traite,*
Ministère des Affaires culturelles,
Direction de l'ethnologie et de
l'archéologie, 11 p.

Fortin, P-E., 1854-1868,
*Rapports annuels sur la protection des
pêcheries dans le golfe du Saint-Laurent:
1853 et 1855 à 1867,*
Canada, Assemblée législative, Annexes
aux Rapports de la Session.

Gagnon, E., 1946,
Louis Jolliet,
Montréal, Beauchemin, 354 p.

Huard, V. A., 1897,
Labrador et Anticosti,
Montréal, Beauchemin, 505 p.

Hubert, P., 1926,
Les îles de la Madeleine et les Madelinots,
Imprimerie générale de Rimouski, 252 p.

Jomphe, R., 1978,
De l'eau salée dans les veines,
Leméac, 133 p.

Julien, Ch. A., 1946,
Premier voyage de Cartier en 1534,
dans: *Les Français en Amérique pendant
la 1ʳᵉ moitié du XVIIᵉ siècle,*
Presses de l'Université de France, Paris,
179 p.

Joubert, P., 1974,
*L'intervention des Acadiens de Havre-
Saint-Pierre dans le développement écono-
mique de la Côte-Nord,*
Lab. ethnographie, Univ. Laval, 110 p.

Lévesque, R., 1971,
*La Seigneurie des Îles et des îlets de
Mingan,*
Archéologie du Québec, Léméac, 232 p.

Marchand, L., 1972,
*Le complexe de la goélette à Havre-Saint-
Pierre,*
Lab. ethnographie, Univ. Laval, 28 p.

Marchand, L., 1975,
*Les commerçants de la Moyenne Côte-
Nord,*
Lab. ethnographie, Univ. Laval, 81 p.

Marcoux, F., 1970,
*Étude de l'établissement sur la Moyenne
Côte-Nord,*
Lab. ethnographie, Univ. Laval, 50 p.

Marcoux, F., 1976,
*Étude des migrations des travailleurs de la
Moyenne Côte-Nord vers l'extérieur,*
Lab. ethnographie, Univ. Laval, 103 p.

Noël-Bouchard, G., 1972,
*Le village de Longue-Pointe de Mingan et
la communauté indienne de Mingan: étude
de géographie de la population,*
Lab. ethnographie, Univ. Laval, 58 p.

Parisé, R., 1974,
Géants de la Côte-Nord,
Québec, Garneau, 20 p.

Potvin, D., 1938,
Puyjalon, le solitaire de l'île à la Chasse,
Québec, Garneau, 168 p.

Potvin, D., 1945,
*Le Saint-Laurent et ses îles; histoire,
légendes, anecdotes, description,
topographie,*
Québec, Garneau, 424 p.

Puyjalon, H. de, 1893,
Labrador et géographie,
Montréal, Imprimerie Canadienne, 19 p.

Puyjalon, H. de, 1894,
Récits du Labrador,
Montréal, Imprimerie Canadienne, 143 p.

Puyjalon, H. de, 1899,
*Rapport sur les ressources naturelles de la
Côte-Nord,*

Législature du Québec,
Rapport du Commissaire des terres, forêts
et pêcheries, Québec, p. 74-77.

Puyjalon, H. de, 1973,
Côte-Nord: La culture — Les bois — La pêche,
Saguenayensia, 15 (3): 95-99

Rouillard, E., 1908,
La Côte-Nord du Saint-Laurent et le Labrador canadien,
Québec, Laflamme et Proulx, 188 p.

Roy, C., 1960-1962,
Les Acadiens de la rive nord du fleuve Saint-Laurent,
Contributions to Anthropology, Musée national, Ottawa, Bull. n° 194:155-198

Trudel, F., 1978a,
Les Inuit du Labrador Méridional face à l'exploitation canadienne et française des pêcheries (1700-1760),
Revue d'histoire de l'Amérique française, 31 (4): 481-501.

Trudel, F., 1978b,
Les Inuit face à l'expansion commerciale européenne dans la région du détroit de Belle-Isle au 16ᵉ siècle et au 17ᵉ siècle,
Recherches amérindiennes au Québec, 7 (3-4): 49-59

Vigneau, P., 1969,
Un pied d'ancre,
Québec, Galienne, 311 p.

Source des photographies

René Audet
6, 22, 96.
Claude Belisle
3, 15, 19, 24, 41, 54, 60, 62, 68, 74, 77, 80, 81, 82, 86, 87, 133, p. 41.
Marcel Blondeau
70, 79.
Gérald Bouillon
134, 138.
Sylvie Boulanger
5, 10, 14, 31, 64.
Michel Boulianne
1, 2, 17, 20, 23, 37, 43, 45, 47, 49, 50, 55, 57, 63, 71, 83, 85, 88, 89, 109, 118, 119, 127, 129, 131, 132, 135, 136, 137, 140, page couverture, p. 19, 57 (bas), 101 (bas), 117, 163, 193.
Denis D'Amours
100, 101, 102, 103, 104, 105, 106, 107, 108, 110, 111, 112, 113, 114, 115, 117.
André Desrochers
7, 9.
Danièle Dubé
12, 21, 69, 75.
André Dumont
8, 13, 18, 26, 27, 29, 33, 38, 39, 59, 61, 67, p. 15, 57 (haut).
Claude Fortin
52, 76.
Réal Goulet
28.
Pierre Grondin
4, 11, 16, 30, 34, 35, 36, 42, 44, 46, 48, 51, 53, 56, 58, 65, 66, p. 85, 101 (haut), 137.
Peter Lane
128, 130, 139.
Janouk Murdock et André Cardinal
91, 92, 93, 94, 95, 97, 98, 99, p. 101 (centre).
Claude Roy
73, 78, 84, 116.
Richard Sears
40, 120, 121, 122, 123, 124, 125, 126, p. 177.
Vallier Savoie
25, 32, 72, 90.

10.
Annexes

1. Toponymie des îles de Mingan
(selon Gauthier-Larouche (1981), légèrement modifiée).

Toponyme officiel	Origine du toponyme
Île aux Perroquets	Le nom de cette île rappelle un oiseau nommé macareux moine ou encore « perroquet de mer » que l'on retrouvait jadis en abondance sur cette île.
Île de la Maison	Les habitants de Longue-Pointe l'ont ainsi nommée parce qu'ils ont trouvé sur cette île des cabanes bâties par quelques-uns des premiers colons de la Pointe-aux-Esquimaux (aujourd'hui Havre-Saint-Pierre) qui venaient y faire la pêche vers 1858.
Caye Noire	Ce nom aurait été attribué à l'île en 1892. Il souligne probablement l'abondance d'un lichen crustacé du genre *Verrucaria* qui tache de noir les roches calcaires.
Île du Wreck	Ce nom anglais fut donné à la suite du naufrage sur cette île du « Clyde » en 1857 et du « North Briton » en 1861. Les gens de la région le prononcent « Rak » et utilisent peu la forme française de ce toponyme « île du Naufrage ».
L'Îlot	On ignore par qui et quand cette île fut ainsi désignée.

Toponyme officiel	Origine du toponyme
Île Nue de Mingan	La désignation Île Nue, apparue en 1874, évoque l'absence de végétation forestière sur cette île. Le terme Mingan s'inspire du nom du village localisé à proximité.
Île du Havre de Mingan	Ce nom est la traduction du terme « Harbour » donné à cette île en 1832, en raison du havre naturel situé entre l'île et le village de Mingan.
Île à Bouleaux de Terre	Ce terme remonte au début du XVIIIe siècle. On n'en connaît pas l'origine mais son emploi généralisé lui a valu d'être officialisé. Signalons que les bouleaux sont présents mais rares sur l'île, dominée plutôt par les sapins. Des deux îles à Bouleaux, c'est la plus rapprochée du continent.
Île à Bouleaux du Large	Ce nom est simplement la traduction du nom anglais: « Outer Birch Island » qu'on lui a donné dès 1832. Il précise la position éloignée de cette île par rapport à la terre ferme. Son emploi généralisé lui a valu d'être retenu comme toponyme officiel.
Caye à la Tête de Cheval	« Tête de cheval » est le nom vernaculaire du phoque gris chassé à cet endroit. Autrefois, la viande de ce phoque était donnée aux chiens alors qu'avec la peau on fabriquait des chaussures pour l'hiver (la botte sauvage).
Caye à Cochon	Ce nom remémore qu'autrefois les agents de la Compagnie de la Baie d'Hudson amenaient leurs cochons sur ce rocher afin qu'ils ne soient pas dérangés par les chiens des Amérindiens.
La Grande Île	Ce nom lui a été attribué en 1889 parce qu'elle est la plus grande île de l'archipel de Mingan.
Rochers de Granite	L'appellation de ces rochers localisés à l'embouchure de la rivière Romaine vient de leur nature granitique qui contraste avec celle des autres îles et îlots de l'archipel formés de roches sédimentaires calcaires.
La Grosse Romaine	Cette île fut nommée « Grosse île de la Romaine » à la fin du XIXe siècle parce qu'elle était la plus grande parmi les îles localisées près de l'embouchure de la rivière Romaine. C'est la population locale qui a réduit ce nom à « La Grande Romaine » ou « La Grosse Romaine », en usage depuis au moins un siècle.

Toponyme officiel	Origine du toponyme
La Petite Romaine	Ce nom d'usage populaire possède la même origine que le toponyme précédent. Il renvoie cependant à la taille plus réduite de cette île.
Île Quarry	Ce nom, attribué en 1790, signifie carrière ou gibier poursuivi. Le premier sens semble en relation avec les magnifiques monolithes d'érosion localisés sur cette île. Le second indique probablement le fort potentiel de celle-ci pour la chasse. On ne connaît malheureusement pas la signification originale de ce nom.
La Pile	Les gens de Havre-Saint-Pierre ont nommé ce rocher ainsi parce qu'il rappelle un empilement de morues.
Caye de Quarry	Ce nom lui a été donné en raison de sa proximité de l'île Quarry.
Île Niapiskau	Ce nom d'origine montagnaise s'écrivait auparavant Niapiska, qui signifie «pointe de roches» ou «rochers noirs». Le premier sens renvoie aux pointes rocheuses bordant l'île ainsi qu'aux grands platiers situés dans la partie sud. Le second exprime sans doute la même réalité que celle associée à la Caye Noire.
Île à Joson	Cette île porte le surnom du père Joseph Boudreau, un des premiers colons de Havre-Saint-Pierre, qui fauchait du foin sur l'île. Ce foin servait à nourrir le bétail élevé autrefois dans le village.
Cayes à Meck	Ce toponyme a été donné en l'honneur du commerçant Luc Cormier, surnommé «Meck», qui fut l'un des premiers colons venus s'établir à Havre-Saint-Pierre.
Île à Gazon	On ne connaît pas l'origine de ce nom. Il se peut que le surnom «Joson» et le terme «Gazon» aient été confondus à un moment donné. Le terme «Gazon» se prête toutefois bien à cette petite île dépourvue d'arbres.
Île de la Pointe aux Morts	Le nom de cette île, d'usage plutôt récent, s'explique par sa proximité de la Pointe aux Morts.
Île du Fantôme	Ce nom évoque le naufrage de la goélette «Phantom» sur la pointe nord de l'île en 1862. Par ailleurs, l'orthographe actuel renvoie à un rocher tombé à la mer au début des années soixante et qui profilait une figure fantomatique.

Toponyme officiel	Origine du toponyme
Île à Firmin	Nom donné en 1861 en l'honneur de Firmin Boudreau, un des fondateurs de Havre-Saint-Pierre, qui fauchait du foin sur le littoral de cette île.
Île à Calculot	Pour les gens de la Côte-Nord, le nom «Calculot» désigne le macareux moine. Présent sur cette île il y a une cinquantaine d'années, le macareux ne la fréquente plus de nos jours.
Île du Havre	Cette appellation introduite dès la fondation en 1857 de Havre-Saint-Pierre vient du havre naturel qu'offrait aux pêcheurs le secteur situé entre le village et cette île.
Île aux Goélands	Nom probablement attribué à l'île en raison de l'abondance du goéland argenté.
Petite île au Marteau	Cette appellation est généralisée depuis plus d'un siècle à Havre-Saint-Pierre. Cette île possède grossièrement la forme d'un marteau dont le manche pointe vers le sud.
Grosse île au Marteau	C'est le nom couramment employé par la population locale en raison de sa proximité de la Petite île au Marteau.
Caye à Loups Marins	Nom donné par les anciens en raison de la présence de loups-marins (phoques communs) à cet endroit.
Île Herbée	L'île porte probablement ce toponyme parce qu'elle est recouverte de végétation herbacée.
Île de la Fausse Passe	Ce nom date du début du XXe siècle et souligne qu'à marée basse, il n'y a pas assez d'eau pour passer en embarcation entre l'île et la terre ferme.
Île à Bouchard	Cette appellation remémore le naufrage de la goélette «Marie-Herzélie» survenu en 1890 sur l'île Saint-Charles. Celle-ci était commandée par le capitaine Théodore Bouchard.
Île Saint-Charles	Ce nom fut donné en l'honneur de Charles, fils ou petit-fils de Louis Jolliet. Le terme «saint» a pratiquement toujours été associé au nom. Rappelons que Louis Jolliet fut le premier concessionnaire de la Seigneurie des Îles et Îlets de Mingan.
Île aux Oiseaux	Comme son nom le suggère, cette île est fréquentée par de nombreux oiseaux et plus particulièrement par le canard eider.

Toponyme officiel	Origine du toponyme
Île à Calculot des Betchouanes	Le terme «Calculot» constitue un des noms vernaculaires du macareux moine. Le terme «Betchouanes», d'origine montagnaise, signifie quant à lui: détroit où le courant est fort dans les deux directions. Il s'applique au rapide créé par les courants de marée, entre la terre ferme et l'île à la Chasse.
Île Innu	Selon R. Jomphe, cette île nommée couramment «île aux Sauvages» devait porter à l'origine le nom de «île Sauvage», car il s'agit d'un lieu où il fait bon regarder la nature et écouter le silence. Par la suite, le terme «Sauvage» aurait été changé par «Innu», qui signifie: être humain, indien.
Île à Mouton	Ce toponyme aurait une connotation poétique. Il évoque le tableau d'une petite île où les moutons pourraient paître tranquilles sans craindre les loups qui, n'ayant pas de bois pour se cacher, sont absents.
Île à la Chasse	Ce nom est la traduction de l'appellation anglaise «Hunting Island» qui fut attribuée à l'île à partir de 1765. Les gens de la région la nomment «île aux Betchouanes».
Île Jaune	Ce nom évoque la couleur du foin qui recouvre cette petite île.
Île du Havre à Étienne	Nom donné en l'honneur d'Étienne Landry, qui fréquentait autrefois cette île.
Île du Havre à Sauvage	On ne connaît par la signification de ce toponyme. Il souligne peut-être le fait que l'île est isolée et peu fréquentée.
Île Sainte-Geneviève	On croit que ce nom lui fut donné au début du XVIIIe siècle en l'honneur de Geneviève Bissot, première fille de Marie Couillard. Marie Couillard était l'épouse de François Bissot, premier concessionnaire de la Seigneurie de la Terre Ferme de Mingan. Le terme «sainte» a été employé dès les origines.
Petite île Sainte-Geneviève	On l'a nommée ainsi en raison de sa faible dimension et de sa proximité de l'île Sainte-Geneviève.

2. Listes floristiques

Quelques espèces de distribution arctique-alpine

airelle des marécages(*Vaccinium uliginosum*) – lande
arctostaphyle alpine (*Arctostaphylos alpina*) – lande
carex rariflore (*Carex rariflora*) – tourbière minérotrophe
drave trapue (*Draba incana*) – falaise
dryas intégrifolié (*Dryas integrifolia*) – lande
orpin rose (*Sedum rosea*) – falaise
pâturin alpigène (*Poa alpigena*) – falaise
pâturin alpin (*Poa alpina*) – falaise et lande
renouée vivipare (*Polygonum viviparum*) – falaise
saxifrage à feuilles opposées (*Saxifraga oppositifolia*) – falaise
saxifrage aïzoon (*Saxifraga aizoön*) – lande
saxifrage cespiteuse (*Saxifraga caespitosa*) – lande
silène acaule (*Silene acaulis*) – lande

Quelques calcicoles

androsace septentrionale (*Androsace septentrionalis*) – falaise et lande
aster boréale (*Aster borealis*) – tourbière minérotrophe
calamagrostis contracté (*Calamagrostis inexpansa*) – littoral supérieur
carex à côtes (*Carex gynocrates*) – tourbière minérotrophe et lande
carex capillaire (*Carex capillaris*) – falaise
carex doré (*Carex aurea*) – littoral supérieur
carex jaune (*Carex flava*) – littoral supérieur
comandre à ombelle (*Comandra umbellata*) – lande et littoral supérieur
cryptogramme de Steller (*Cryptogramma stelleri*) – falaise
cypripède jaune à pétales planes (*Cypripedium calceolus* var. *planipetalum*) – lande
dryas intégrifolié (*Dryas integrifolia*) – lande
dryoptéride de Robert (*Dryopteris robertiana*) – falaise
gentiane amarelle (*Gentiana amarella*) – lande et littoral supérieur

grassette vulgaire (*Pinguicula vulgaris*) – tourbière minérotrophe et falaise
habénaire dilatée (*Habenaria dilatata*) – tourbière minérotrophe
lobélie de Kalm (*Lobelia kalmii*) – tourbière minérotrophe
orchis à feuille ronde (*Orchis rotundifolia*) – tourbière minérotrophe et falaise
parnassie à feuilles glauques (*Parnassia glauca*) – tourbière minérotrophe et falaise
parnassie parviflore (*Parnassia parviflora*) – falaise et lande
pâturin alpin (*Poa alpina*) – falaise et lande
pâturin glauque (*Poa glauca*) – falaise
pigamon de la frontière (*Thalictrum confine*) – lande et littoral supérieur
primevère du lac Mistassini (*Primula mistassinica*) – tourbière minérotrophe et lande
pyrole à feuilles d'Asaret (*Pyrola asarifolia*) – littoral supérieur
sabline rougeâtre (*Arenaria rubella*) – falaise et lande
saule tomenteux (*Salix candida*) – tourbière minérotrophe et falaise
saule vêtu (*Salix vestita*) – tourbière minérotrophe et falaise
saxifrage à feuilles opposées (*Saxifraga oppositifolia*) – falaise
saxifrage aïzoon (*Saxifraga aizoön*) – falaise et lande
solidage hispide (*Solidago hispida*) – lande
tofieldie glutineuse (*Tofieldia glutinosa*) – tourbière minérotrophe

Quelques halophytes vraies (exclusives aux milieux salins)
carex de Mackenzie (*Carex mackenziei*) – marais salé
carex paléacé (*Carex paleacea*) – marais salé
carex salin (*Carex salina*) – marais salé
glaux maritime (*Glaux maritima*) – marais salé
mertensia maritime (*Mertensia maritima*) – littoral supérieur
persil de mer (*Ligusticum scothicum*) – marais salé
sabline faux péplus (*Arenaria peploides*) – littoral supérieur
salicorne d'Europe (*Salicornia europaea*) – marais salé
scirpe roux (*Scirpus rufus*) – marais salé
spartine alterniflore (*Spartina alterniflora*) – marais salé
spergulaire du Canada (*Spergularia canadensis*) – marais salé

Quelques halophytes facultatives
(espèces de milieu salin distribuées également dans d'autres habitats)
arroche des champs (*Atriplex patula*) – littoral supérieur
élyme des sables (*Elymus mollis*) – littoral supérieur
fétuque rouge (*Festuca rubra*) – marais salé
iris à pétales aigus (*Iris setosa*) – littoral supérieur
jonc de la Baltique (*Juncus balticus*) – marais salé
? lomatogone rotacé (*Lomatogonium rotatum*) – littoral supérieur
pois de mer (*Lathyrus japonicus*) – littoral supérieur
plantain maritime (*Plantago maritima*) – marais salé
renoncule cymbalaire (*Ranunculus cymbalaria*) – marais salé
séneçon faux-arnica (*Senecio pseudo-arnica*) – littoral supérieur

Les plantes rares de l'archipel de Mingan (selon Bouchard et al., 1981)
Arabette de Drummond (*Arabis drummondii*): Habitat non précisé par le seul botaniste (St. John, 1922) qui rapporte cette espèce pour la Minganie.
Arctostaphyle rouge (*Arctostaphylos alpina* ssp. *rubra*): Rare dans la lande – La Grande Île.
Asplenium vert (*Asplenium viride*): Rare dans la lande et rare sur la falaise – île Nue de Mingan, La Grande Île et île Niapiskau.
Carex de Host (*Carex hostiana* var. *laurentiana*): Très rare dans la tourbière minérotrophe – île Sainte-Geneviève.
Chardon de la Minganie (*Cirsium scariosum* ou *C. foliosum*): Rare sur le littoral – Grosse île au Marteau, île du Fantôme, île du Havre, île aux Goélands et île Niapiskau.

Cypripède blanc (*Cypripedium passerinum*): Rare dans la lande – île Niapiskau, île Nue de Mingan, Grosse île au Marteau et Petite île au Marteau.

Cypripède jaune à pétales planes (*Cypripedium calceolus* var. *planipetalum*): Occasionnel dans la lande – la majorité des îles.

Cystoptéride des montagnes (*Cystopteris montana*): Très rare sur la falaise – île Nue de Mingan.

Cystoptéride fragile (*Cystopteris fragilis*): Occasionnel sur la falaise (sites très ombragés) – la majorité des îles.

Dryoptéride de Robert (*Gymnocarpium robertianum* syn: *Dryopteris robertiana*): Rare sur la falaise et très rare dans la forêt (à proximité de l'assise rocheuse) – La Grande Île, île du Havre, île Niapiskau, île Nue de Mingan et île Sainte-Geneviève.

Érigeron à tige hirsute (*Erigeron lonchophyllus*): Rare sur littoral – île Sainte-Geneviève et île à la Chasse.

Pâturin intérieur (*Poa nemoralis* var. *interior*): Rare sur la falaise et rare sur le littoral supérieur – île aux Perroquets, Grosse île au Marteau et île La Petite Romaine.

Pigamon alpin (*Thalictrum alpinum*): Occasionnel dans la tourbière minérotrophe – plusieurs îles.

Renoncule de Gmelin (*Ranunculus gmelini*): Très rare dans la tourbière minérotrophe – île du Fantôme et île du Havre.

Scirpe nain (*Scirpus pumilus*): Rare sur la falaise, sur le littoral supérieur (sites mal drainés) et dans la lande (sites mal drainés) – île du Havre, Grosse île au Marteau et île Sainte-Geneviève.

Vélar à petites feuilles (*Erysimum inconspicuum* var. *coarctatum* syn: *E. coarctatum*): Occasionnel dans la lande (sur les cailloutis calcaires) et rare sur le littoral supérieur – île Nue de Mingan, île Quarry, île Niapiskau, île à Firmin et île du Fantôme.

Woodsia de l'Orégon (*Woodsia oregana* var. *oregana*): Rare sur la falaise – La Grande Île et île du Fantôme.

Woodsia alpine (*Woodsia alpina*): Habitat non précisé par les botanistes qui ont observé cette espèce sur les îles de Mingan (St-Cyr, 1887, et St. John, 1922) – île Nue de Mingan et île du Havre.